P9-COP-695

LE DICTIONNAIRE DE MA VIE

Claude Lelouch

LE DICTIONNAIRE DE MA VIE

réalisé
avec Laurence Monsénégo

Collection dirigée par Christian de Villeneuve

ISBN : 978-2-36658-256-7

Le Pire n'étant jamais
décevant... je crois de
Plus en Plus à l'incroyable
Fertilité du CHAOS,
donc le Meilleur est à Venir.

Claude Lelouch.

Préface

J'ai goûté à tous les parfums de la vie.

Quand on est un homme d'action comme moi, on fonce. On regarde un peu dans le rétro mais pas trop. Et puis là, d'un seul coup, je me suis dit : « Tiens, ce ne serait pas si mal de scruter un peu en arrière, d'essayer de comprendre ce scénario incroyable que j'ai la chance de vivre depuis ma naissance. »

Le rôle de Claude Lelouch, je le joue maintenant depuis soixante-dix-huit ans et je ne m'en suis jamais lassé. C'est un rôle absolument passionnant, rien n'est figé, tout s'agite, le scénario se modifie chaque seconde. C'est l'aventure, avec un point d'interrogation. En y réfléchissant, je me dis que j'ai vraiment eu de la chance.

Qui m'a aidé pendant toutes ces années ? J'ai été confronté à une somme incroyable de petits miracles, j'ai réussi à passer à travers les gouttes, j'aurais pu mourir vingt fois, physiquement, professionnellement, sentimentalement…

Aujourd'hui, je sais que j'ai disposé d'un formidable assistant, Lui m'a éclairé, m'a évité les extrêmes : « Va à droite, va à gauche, mais surtout va au centre. » J'ai compris que le juste milieu répondait à presque toutes les questions, qu'il faisait de moi un type moyen.

Ce n'est pas mal d'être moyen, cela m'a permis de passer partout. Trop gros, je n'aurais pu me glisser dans certaines situations, trop petit, on ne m'aurait pas vu. Ma hauteur est moyenne, ma corpulence est moyenne, ma taille de chaussures est moyenne, je ne fais partie ni des grosses fortunes ni des pauvres… Je suis un type moyen et, quand vous êtes moyen, vous êtes tout-terrain. Un vrai 4 × 4. Si j'avais été une Formule 1, je n'aurais roulé que sur circuit, si j'avais été une toute petite voiture électrique, je n'aurais pu quitter Paris…

J'ai eu la chance de bénéficier du fait d'être un peu connu, cela m'a ouvert des tas de portes. Si j'appelle quelqu'un au téléphone, on me prend, je ne fais pas peur. Je peux entrer dans un restaurant, il y a toujours une place pour moi – si je m'appelais Johnny, il faudrait fermer l'établissement. Quand vous êtes trop gros, quand vous êtes une super star, votre vie privée n'existe plus, vous ne pouvez plus vivre. À un moment donné, trop, c'est trop, on vous sort du jeu.

Je fais aussi partie de ces gens connus qui peuvent passer au milieu de la foule sans trop se faire reconnaître. Si je porte une casquette et des lunettes, je deviens un véritable agent secret, je peux épier la terre entière. C'est une chance formidable : la foule, c'est mon scénario préféré. C'est en son sein que je repère toutes les histoires que j'ai envie de raconter. Lorsqu'elle me reconnaît, elle est plutôt gentille. Les quelques autographes qu'elle sollicite ne m'empêchent pas de continuer à vivre. L'hommage de la rue, c'est ma plus belle récompense.

Un poids moyen, voilà ce que je suis – c'est d'ailleurs la catégorie que je préfère en boxe. Ce n'est pas du tout péjoratif, c'est une chance folle, un passeport international.

J'évolue au milieu du spectacle, je fréquente aussi bien des illettrés que des superstars du cerveau. Pas de mépris, pas de complexe d'infériorité ou de supériorité, j'ai la même tendresse à échanger avec chacun d'entre eux. Je dirais même que je m'amuse plus, que je prends plus de plaisir avec les gens simples, avec les gens qui rament. Ils m'apprennent davantage.

Aujourd'hui, à l'aune de tous ces flash-backs, je revendique mon statut d'homme moyen. J'en suis un représentant, dans tous les domaines, cet exercice m'a permis de le confirmer. Jamais à dix-huit ans je n'aurais ambitionné une telle appartenance. À cet âge ingrat, on rêve plutôt de devenir une superstar, de sortir du lot. Moi, je suis sorti du lot tout en y restant, c'est extrêmement gratifiant.

Je mesure la chance incroyable que j'ai eue de faire tout ce que j'ai fait, je sais à présent que je peux voyager, que mon passeport me permet d'aller partout tant que ma santé est bonne – un poids moyen doit malgré tout disposer d'une santé au-dessus de la moyenne.

J'aurais pu formuler tout cela dans un roman… J'aurais perdu du temps, je n'aurais pu développer autant de thèmes. Ce *Dictionnaire de ma vie* est un mode d'emploi, je pense que le lecteur s'y retrouvera. Qu'il sache que les quelques petites phrases qu'il retiendra par-ci par-là sont celles d'un homme qui les a toutes testées et vérifiées.

Oui, j'ai eu la chance de goûter à tous les parfums de la vie.

A

Aventure(s)

« Qu'est-ce que la vie ?
Une course d'obstacles au pays des merveilles. »
« Je n'ai jamais été célibataire une seule seconde
depuis l'âge de dix-huit ans. »

Définitivement, j'aime de plus en plus l'aventure. C'est ma façon d'être perpétuellement vivant, attentif, mobilisé à 300 % à l'instar des chasseurs. Ce n'est pas que je les apprécie particulièrement, ils sont là pour tuer, mais ils vivent intensément, avec cette nécessité de demeurer toujours vigilants pour ne pas rentrer bredouilles. Nous sommes tous des chasseurs. Des chasseurs de femmes, de succès, de relations. Des traqueurs de vie aux aguets qui en oublient de songer à eux-mêmes.

Faire des premières fois… Voilà ce qui me fait vivre, voilà ce qui me donne envie de me lever tous les matins. Le goût de l'aventure, le parfum de la découverte. Et puis les obstacles. Pour tester la valeur des gens. Qu'est-ce que la vie ? Une course d'obstacles au pays des merveilles. Un obstacle, un autre obstacle... jusqu'au moment où l'un d'entre eux vous dit : « C'est terminé. »

Évidemment, plus on se rapproche de la ligne d'arrivée – ce qui est mon cas –, plus les premières fois sont difficiles. Mais on les apprécie de plus en plus. C'est comme dans un sprint : on accélère dans les derniers mètres et les trois derniers sont les meilleurs.

Les habitudes, le confort, la plupart des gens s'en contentent. C'est pourtant le cancer de la vie, un cancer dont on ne se remet jamais.

En ce qui me concerne, le goût de l'aventure a toujours été plus fort. Je ne tiens pas en place, ma base, c'est le mouvement. J'ai évidemment quelques points de repère – dormir, me reposer –, mais ma vraie nature, c'est le voyage. Quel bonheur de faire chaque jour ce que je n'ai pas fait la veille ! Les premières fois, dans tous les domaines, voilà ce qui m'excite. Je vais au cinéma pour voir des premières fois – le cinéma expérimente en permanence. Pourtant, aller au cinéma, ce n'est pas rien. Il faut affronter le froid, les encombrements, la queue et, pour finir, il faut payer. Le gars qui va au cinéma a vraiment le goût de l'aventure, celui qui reste chez lui à regarder la télé rassure ses habitudes.

En réalité, je suis passionné, fasciné même, par tout ce que je ne connais pas. Dès que j'ai expérimenté un truc, c'est fini, cela ne m'intéresse plus.

Ce que j'aime chez les chercheurs, c'est leur curiosité. Le monde s'est construit sur l'attention plus forte de certains d'entre nous : celui qui découvre la pénicilline, celui qui conçoit le vaccin contre la rage, celui qui invente la bombe atomique, celui qui imagine l'aviation… Tous les progrès sont le résultat du travail d'individus un peu plus curieux que les autres, qui ont gratté un peu plus.

Le type qui fait la tour Eiffel par exemple. Ce n'est pas rien la tour Eiffel, c'est très réussi. Mais il fallait le vendre le projet ! On ne pouvait pas dire que cela allait être rentable. À quoi allait-elle servir ? À rien. Si, à voir Paris comme on ne l'avait jamais vue, pendant l'Exposition universelle. Elle était faite pour durer très peu de temps, pour être montée et démontée. Et puis, d'un seul coup, on se dit : « Tiens, et si on la gardait ? » On s'aperçoit en fin de compte que cette tour Eiffel, c'est Paris, la ville la plus visitée au monde. Qu'elle est l'objet le plus photographié du globe. Qu'elle a permis d'installer des antennes de radio et de télévision. Pourtant, c'est quoi ? De la ferraille.

Sur le modèle de la tour Eiffel, on peut appréhender tout le reste, l'histoire de ce quidam qui dit vouloir faire un petit film et réalise *Citizen Kane*[1] par exemple. Là, on s'aperçoit que quelque chose a changé dans l'histoire du cinéma.

Lorsque l'on agit, on ne saisit pas immédiatement la force de son geste, son efficacité.

Pour former un couple, c'est pareil, il faut rencontrer beaucoup de femmes avant d'en comprendre une, avant de parvenir à cette sorte de synthèse de ce que pourrait être la femme idéale. Mais la femme idéale a autant de défauts que de qualités, l'homme idéal également...

Accepter le bien et le mal, admettre que tous deux sont utiles, qu'on ne peut passer d'un bonheur à un autre bonheur sans subir quelques contrariétés, voilà qui est laborieux. Une bonne nouvelle, c'est un médicament formidable, une mauvaise nouvelle, un coup de couteau, une blessure, peut-être aussi la fin, la mort.

Le jeu de la vie est un jeu fascinant, mais il faut être costaud. Il faut se fabriquer des muscles, s'entraîner, souffrir. Pour courir le cent mètres en neuf secondes et quelques centièmes de bonheur, le sportif sacrifie dix ans, dix années de tortures physiques, psychologiques, de réparations. Ce n'est pourtant rien neuf secondes et quelques centièmes, ça va vite. Mais ce sont neuf secondes et quelques

1. Film américain réalisé par Orson Welles, sorti en 1941, considéré comme le meilleur film de tous les temps en raison de ses innovations cinématographiques, musicales et narratives.

centièmes de bonheur intense, total, qui peuvent effacer quatre-vingts ans d'épreuves. On oublie les camps de concentration, le génocide, les horreurs... C'est cela la force de la vie, la force du chercheur.

Aujourd'hui, l'intelligentsia traverse une crise majeure parce qu'Internet offre à tout un chacun l'occasion d'accéder au savoir. Avant, c'était la récompense d'un intense travail, de la volonté d'en savoir un peu plus que les autres. Aujourd'hui, vous demandez n'importe quoi dans la rue à un imbécile, il consulte son portable et hop, il a immédiatement une réponse. Il SAIT. Du moins, il croit savoir.

Je ne suis pas nostalgique. Plongé dans l'action plus que dans la réflexion, je ne me suis pas ennuyé une seule seconde depuis ma naissance. Si l'on ne me posait quelques questions de temps en temps, je ne m'en poserais pas. Je fonce, je découvre mon film quand il est fini : « Tiens, voilà le film que tu voulais faire... » Le résultat est toujours étonnant. Lorsqu'un producteur me réclame un scénario – c'est inévitable –, je lui raconte un film qui n'a strictement rien à voir, un film qui va simplement lui donner envie d'investir de l'argent. En général, il est content, ça lui va. Moi, le film que je vais faire, je vais le faire, un point c'est tout. C'est en le réalisant que je le découvre, en tournant chaque scène, en avançant pas à pas.

C'est la même histoire pour tout ce que j'entreprends. J'ai commencé à deviner ce que deviendraient ces ateliers de cinéma de Beaune lorsque le projet était déjà bien avancé. Je peux dire d'une femme qu'elle a été formidable le jour du divorce, parce qu'elle se comporte bien, sinon je me dis que j'ai bien fait de la quitter.

Lorsque je fais un film, c'est pour opérer un gros plan sur des cas un peu plus représentatifs que les autres. Je ne suis rien d'autre qu'un observateur, j'essaie de partager mes constatations. J'explore ce monde et ses défauts, et je dois humblement reconnaître que ses imperfections m'amusent plus que ses vertus !

L'amour par exemple. Depuis la nuit des temps, tout a fait des progrès, sauf l'amour. L'amour n'a fait AUCUN progrès. Il s'use même plus rapidement qu'avant. Tout se détruit beaucoup plus vite qu'avant dans cette génération d'enfants gâtés. J'observe, je constate qu'il est de plus en plus difficile de trouver l'Autre, de s'entendre avec l'Autre. Les histoires d'amour sont de plus en plus compliquées, tout simplement parce qu'on les consomme beaucoup plus vite. Elles pouvaient faire cinquante mille kilomètres, elles en font maintenant très peu…

Autrefois, on jouait avec le secret, le mensonge, la dissimulation – je dirais la dissimulation plus que le mensonge –, cela faisait partie du jeu. L'imaginaire entretenait le rêve quand la réalité actuelle démythifie absolument tout. Avec Internet, avec les sites de rencontres, la possibilité de dénicher dix personnes disponibles dans un rayon de trois cents mètres est phénoménale. On ne fait plus confiance au hasard, à cette machine à calculer qui calcule l'incalculable, qui nous emporte là où l'on n'aurait jamais eu le courage d'aller. Les machines modernes réduisent la part du hasard, ses possibilités, son inventivité. Du coup, les histoires d'amour deviennent très difficiles. On rencontre une personne, on se dit tout, en une journée on en a fait le tour quand il fallait jadis une dizaine d'années. Seulement, démythifier quelque chose ou quelqu'un, c'est prendre un risque phénoménal : dès que l'Autre n'est plus un territoire inconnu, l'histoire est finie.

Moi, j'ai l'instinct. Je sens quand une histoire d'amour commence à s'user, quand elle devient une habitude, que l'on cesse d'être une aventure pour l'Autre. À ce moment-là, je me protège. Ma vie amoureuse ? Un fondu enchaîné. Je n'ai jamais été célibataire une seule seconde depuis l'âge de dix-huit ans. C'est une chance : chaque fois qu'une histoire d'amour aurait pu me faire souffrir, quelqu'un m'a consolé.

Les habitudes, c'est le cancer de l'amour. Les gens s'imaginent qu'après le mariage, le travail est fait. Eh bien, non, c'est là que tout commence… et c'est un travail colossal. Le crime parfait de l'amour, c'est le mariage. Les enfants lui font beaucoup de mal également, ce ne sont que des emmerdes, mais des emmerdes que l'on aime. Dès qu'un enfant arrive, c'est fini, on perd 50 % de l'affaire, et encore... Quand on ne perd que 50 %, on s'en sort bien.

Le bonheur est gratuit, c'est le luxe qui est cher ; tous nos ennuis sont dus à nos goûts de luxe. En amour, c'est le même scénario – celui d'*Un+Une*. Qui aime-t-on le plus au monde ? Soi-même, il faut avoir le courage de le dire. Mais lorsque l'on tombe amoureux, d'un seul coup il y a de la place pour deux. D'un seul coup, si l'on doit choisir, on choisit l'Autre. C'est merveilleux cette capacité subite à aimer l'Autre plus que soi-même, à chérir la perfection. Cependant, attention : dès que se manifeste le moindre défaut dans cette perfection, la critique fuse et... on passe à autre chose. C'est cela la vie, un mouvement permanent.

Mon plaisir, c'est le mouvement. Je bouge continuellement. Dès que je me pose quelque part, je m'ennuie rapidement. Même dans la plus belle maison du monde. Ce qui m'intéresse quand j'y séjourne, c'est de savoir qui va y rentrer, qui va en sortir, qui va y mettre le feu, qui va la voler, la piller, la salir, la casser... Ça, c'est l'aventure ! L'arrêt sur image est terriblement déplaisant. C'est la mort. Mais la mort, quelle trouvaille aussi. Quoi qu'on en dise, c'est malgré tout la plus belle invention de la vie. S'il n'existait pas cette menace, nous serions doublement insupportables, des enfants super gâtés que rien n'arrêterait...

Les temps modernes ont fabriqué une génération d'enfants gâtés dès les années 1930, lorsque les machines ont commencé à remplacer les hommes. C'est particulièrement flagrant autour de l'arbre de Noël : il y a tellement de cadeaux que les mômes ont du mal à faire des choix. Le principe qui s'impose, c'est d'ouvrir le cadeau sans regarder ce qu'il y a dans la boîte puis de passer au suivant. C'est compliqué, mais trop de cadeaux tuent le cadeau.

Pendant la guerre, pour mon anniversaire, ma mère m'avait offert une banane et une orange. C'était énorme, aujourd'hui, on ne peut expliquer cela à un enfant. J'ai vu cette banane, je l'ai épluchée, je l'ai mangée, puis j'ai mangé l'orange... Je me souviens encore de ce cadeau formidable. Comme je me souviens d'un certain Noël. Je devais avoir cinq ou six ans, mon grand-père m'avait emmené découvrir les vitrines des grands magasins et expliqué le principe du père Noël. J'avais alors élaboré une liste exhaustive, un avion, un train – tant qu'à faire, si ce mec est aussi généreux... Et puis, le soir de Noël, au pied de l'arbre, je n'avais qu'un seul cadeau. Et qu'y avait-il dans le paquet ? Une boîte de crayons de couleur ! Devant ma consternation, ma mère m'avait ainsi réconforté : « Tu sais, avec ces crayons de couleur, tu peux dessiner un train, un avion… Tu peux tout avoir. »

C'était une belle leçon. La contrainte sollicite l'imagination, derrière ce cadeau il y avait un effort à fournir. La guerre produisait aussi cela. S'il n'y avait pas eu la guerre…

B

Beaune

« En six mois d'études à Beaune,
on fait ce que l'on fait en cinq ans à Paris :
on devient cinéaste. »

Si les meilleurs metteurs en scène du monde pouvaient transmettre leur savoir aux plus jeunes, ce serait formidable…

Cette idée me trotte dans la tête depuis que j'ai seize ou dix-sept ans. À trente ou quarante ans, je n'aurais su qu'en faire, il m'a fallu attendre ce jour pour la mettre en œuvre.

Depuis tout ce temps, je me pose une question : comment ceux qui savent – qui commencent à savoir – peuvent-ils transmettre à ceux qui ne savent pas ? Bien sûr, comme le disait Gabin : « Maintenant je sais, je sais qu'on ne sait jamais[1]. » Mais

1. Paroles du titre *Maintenant je sais* de Jean Gabin.

à un moment donné, quand on sent que l'on va être obligé de quitter la piste, on a tous besoin de transmettre, c'est le principe de l'héritage. Chacun de nous a appris deux ou trois trucs dans sa vie, moi aussi. Ce n'est pas grand-chose, mais, si je peux les transmettre, j'aurai le sentiment d'être éternel. C'est peut-être généreux ou prétentieux, je n'arrive pas à savoir si c'est une idée altruiste ou de l'ego poussé à un extrême insupportable...

Toujours est-il que je me suis dit : « Ce serait formidable de créer un lieu – pas une école, je n'aime ni le mot école ni les notes – pour tous ceux qui n'ont ni l'argent ni les diplômes nécessaires pour fréquenter les écoles de cinéma. » J'aurais adoré trouver cela à l'époque. Pendant la guerre, quand j'avais entre quatre et huit ans, ma mère me cachait dans les salles de cinéma. Je n'allais pas à l'école ou j'en changeais tous les huit jours, je n'ai donc pas fait d'études. Cela m'a donné l'idée de fonder des ateliers – des laboratoires de fabrication de films – où les plus grands cinéastes, ceux qui ont un regard différent des autres, pourraient transmettre leur savoir aux plus jeunes. C'est un peu plus qu'une école ; en fait, c'est moins qu'une école et plus qu'une école : ce sont des ateliers. C'est à Beaune que j'ai décidé de les installer, parce qu'il s'y est déroulé pendant quelques années des rencontres cinématographiques et que j'ai eu la chance de rencontrer Alain Suguenot, le maire de la ville, avec lequel j'ai sympathisé.

Aujourd'hui, toutes les écoles de cinéma sont intéressantes, passionnantes à différents titres, mais pour y avoir donné des *master class*, je me suis vite aperçu que ce que l'on y apprend aux jeunes est très loin de l'univers du cinéma. Pourquoi ? Parce qu'on leur enseigne à faire des films « à la manière de » : à la manière de Fellini, à la manière de Godard... Ce n'est pas cela le cinéma. Le cinéma, c'est une écriture personnelle.

À l'heure actuelle, tout le monde filme, sept milliards de gens filment avec leurs téléphones portables sans savoir filmer. Lorsque l'on regarde les documents d'actualité tournés par des amateurs – ce sont les seuls reporters, ils sont toujours au bon endroit –, c'est souvent mal filmé, c'est souvent n'importe quoi.

Mes ateliers vont permettre à des cinéastes amateurs doués de trouver une passerelle pour éventuellement rentrer dans ce métier. Seule condition : qu'ils soient curieux et qu'ils aient un œil. Qu'ils soient des cinéastes. Un cinéaste n'a pas besoin d'être cultivé, il n'est pas nécessaire qu'il ait fait des études. Il a simplement besoin d'être curieux et d'avoir l'esprit de synthèse. Curieux parce que la mise en scène se nourrit de toutes les observations que l'on peut établir dans tous les domaines : il faut être une vraie commère, être passionné, intéressé, curieux de tout, observer les détails et, ensuite, aller à l'essentiel. Synthétique parce qu'il faut pouvoir concentrer en une heure et demie une histoire qui dure cinquante ans. C'est tout cela qui fait un metteur en scène.

Je ne suis pas concurrent des écoles ; il y a bien un concours d'entrée, mais la porte est également ouverte à ceux qui font des études de cinéma. À Beaune, je veux fabriquer des metteurs en scène tels que je les conçois. Tenir une caméra, gérer la lumière, écrire une histoire et des dialogues, faire du montage : ils doivent accomplir tous les métiers du cinéma, sinon ce sont des réalisateurs, des techniciens. Le vrai cinéaste est d'ailleurs le cinéaste amateur : il fait tout. On ne peut faire un film, filmer l'humanité, si l'on ne connaît rien aux costumes, si l'on n'est pas capable de construire un décor, d'être architecte. Historiquement apparu en septième position, ce que l'on nomme le septième art est en réalité pour moi le premier. Sa force est telle qu'il inclut naturellement tous les autres arts : la peinture, la musique, la poésie, l'architecture…

C'est avec les années que je l'ai compris : la meilleure école du monde, c'est de faire un film, d'assister à un tournage plutôt que de procéder à des exercices théoriques. De Claude Pinoteau à Élie Chouraqui en passant par Maïwenn et d'autres encore, tous ont été des observateurs sur mon plateau. C'est ce qui a conforté leur envie de faire du cinéma. Moi-même, j'ai appris les bases du cinéma en trois semaines. C'était en 1957, mon père avait réussi à me trouver un stage sur *L'Homme aux clés d'or*, un film de Léo Joannon avec Pierre Fresnay et Annie Girardot. Ce n'est pas beaucoup trois semaines, mais en trois semaines, j'ai appris. Là, je me suis dit : « Ça y est. » Parce que j'étais plongé dans un film.

Je crois à la pratique, je crois aux ouvriers, le cinéma est un métier manuel. Les meilleures écoles du monde, quel que soit le métier espéré, c'est de regarder des professionnels travailler. Si vous êtes capable de suivre un plombier pendant une semaine, vous deviendrez plombier, parce que vous ne le suivrez pas plus de deux jours si cela vous déplaît.

C'est ce que je mets en œuvre à Beaune. Chaque année, un grand metteur en scène viendra faire le film qu'il a rêvé de faire – lui personnellement. Nous lui fournirons toutes les possibilités de le réaliser. Il sera assisté de stagiaires présents en permanence sur le plateau, les treize élèves de la promotion, auxquels il transmettra son savoir. Ma société de production Les Films 13 produira également le premier film du plus doué des stagiaires, l'occasion d'offrir à tous les amoureux du cinéma, avec ou sans diplômes – ceux qui ont des diplômes ne sont pas plus mauvais que les autres –, une passerelle pour, peut-être, réaliser leurs premiers films. Si nous découvrons un metteur en scène par an, ce sera énorme. Si l'on en remarque un tous les deux ans, ce sera formidable, mais un tous les cinq ans ne serait déjà pas si mal.

Pour compléter le dispositif, nous souhaitons également organiser des *master class* diffusées soit sur Internet, soit à la télévision, afin que tout le monde puisse bénéficier des cours.

Encore une fois, j'invente quelque chose qui n'existe pas, il va bien falloir un ou deux ans pour mettre au point la structure. La première année, je suis là pour expliquer le règlement, le comment ça marche. Ensuite, je reste le producteur.

Les plus grands cinéastes sont d'accord pour venir faire le film qu'ils ont envie de faire, passer six, sept, huit mois de leur vie à Beaune selon s'ils tournent vite ou lentement, il n'y a pas de règles. Dans un premier temps, c'est moi qui choisis les stagiaires. Peut-être qu'à un moment donné je leur demanderai de les choisir eux-mêmes, ce n'est pas exclu. 2016 est mon année, les promotions suivantes seront celles de tous mes amis metteurs en scène.

Les plus grands cinéastes du monde à Beaune ! Il faut dire que la cité est vraiment une des villes de France les plus agréables à vivre. Vous êtes entouré de vignes, et ce n'est pas rien la vigne, ce n'est pas rien le vin. Moi qui suis un grand dégustateur, je ne bois pas de vin, il me fait du mal. Quand je le déguste, je le renifle, je le mets dans ma bouche, parfois même je le crache... Là, il me fait du bien. Je viens de déguster une bouteille de l'année de ma naissance. Ce qui est intéressant, c'est que cette bouteille enfermée pendant soixante-dix-huit ans s'est mise à respirer d'un seul coup. C'était Aladin... Elle exhalait un arôme qui datait de 1937, le parfum de 1937. Et elle avait mieux vieilli que moi !

Je suis un vrai Parisien mais je vois à quel point Paris recèle aujourd'hui plus d'inconvénients que d'avantages. Les grandes villes sont en train de polluer le monde, de nous polluer par la même occasion. Nous avons besoin d'un retour à la campagne, à la nature, maintenant.

Je n'aurais pas monté ces ateliers à Paris, les gens ont trop de sollicitations, les mômes auraient été en boîte tous les soirs. À Beaune, ils n'ont que ça à faire, nuit et jour pendant six mois. Il faut se mettre dans une bulle pour faire les choses sérieusement. Lors de mon voyage en Inde, j'étais dans la bulle de l'Inde. J'ai fait un film sur l'Inde parce que j'y étais installé, parce que je ne revenais pas tous les soirs chez moi. À Paris, vous rentrez chez vous, vous retrouvez vos enfants, vos emmerdes, vos feuilles d'impôt... Faire un film, c'est un véritable séminaire, la province renferme des tas d'avantages à cet égard. En six mois d'études à Beaune, on fait ce que l'on fait en cinq ans à Paris : on devient cinéaste.

Et puis, le lieu est magique. Quand le maire m'a fait visiter les terrains qu'il mettait à ma disposition, c'était au n° 13, ou plutôt il y avait un 13 dans l'adresse. Là, je me suis dit : « Tu ne peux pas reculer... » Aujourd'hui, c'est impressionnant. La ville a investi pas loin de cinq millions d'euros pour construire une cité du cinéma avec ses bâtiments et ses studios destinés aux ateliers. J'ai enfin créé le lieu dont je rêvais. J'ouvre la première promotion, la promotion Claude Lelouch.

Pour celle-ci, nous avons lancé un concours. Le sujet ? Le premier et le dernier jour d'un couple. Trois minutes pour le premier, trois minutes pour le dernier. Un concours comme celui-ci, je me serais précipité ! J'aurais fait le film, j'aurais essayé d'être là.

Nous avons reçu cent cinquante films passionnants. Je m'attendais à tout et à rien, certains étaient irregardables, 10 % étaient captivants, un ou deux m'ont vraiment étonné. Un surtout. Il racontait un viol. C'est un couple qui entre dans une chambre, on sent qu'il y a une petite fête en bas où les deux protagonistes ont dû se rencontrer. Ils commencent à flirter puis la fille fait comprendre au garçon qu'elle aimerait bien qu'on s'arrête là. Et lui, non. Lui, il va la violer. C'est donc leur premier et leur dernier jour, en une seule scène. C'est très fort, admirablement traité par un môme de dix-neuf ans. Moi, je n'aurais jamais eu l'idée d'un viol. Sur les cent cinquante cinéastes amateurs, quinze méritent franchement de devenir metteurs en scène.

Avec un jury composé de tous les techniciens et de moi-même, nous avons sélectionné treize élèves sur la base de leur film, rien que sur leur film. Ce qui m'intéresse, c'est leur talent. Or le talent d'un metteur en scène, ce ne sont pas les diplômes, c'est un regard. En littérature, il y a l'écriture, la grammaire. Au cinéma, chaque metteur en scène invente sa propre grammaire : il y a l'écriture de Fellini, celles d'Antonioni, d'Orson Welles, de Godard, la mienne... Nous ne nous servons pas de la même grammaire. En revanche, nous nous servons tous d'une caméra. La première personne que je leur apprends à diriger, c'est la caméra. La caméra est le cœur même de ce métier. Le jour où ils rentrent à l'école, nous leur en donnons une, pour qu'ils fassent le *making-of* du film... et plus si affinités. Le talent n'a pas de limites.

Ces stagiaires sont tous adorables, charmants, passionnés de cinéma – ils ont dû faire leur film de sélection tout seul, le produire, le mettre en scène. Ce qui est très drôle, c'est qu'il y a sept garçons et six filles. Par hasard, nous ne l'avons pas fait exprès. J'avais dit : « On prend les meilleurs et on verra. »

À l'arrivée, on se retrouve avec la parité presque parfaite. Le cinéma est autant un métier de garçon que de fille. Il faut une vraie sensibilité, les femmes font des films formidables en l'occurrence. Mais il y a plus d'hommes dans la profession, ce sont eux qui ont débuté, avec le temps cela va changer.

Tous les treize participent à la réalisation de mon prochain film. Les deux premiers mois, je les fais travailler sur l'écriture de mon scénario. Peut-être auront-ils des idées encore plus folles que les miennes… Ils m'assisteront ensuite à toutes les étapes : préparation, repérages, casting, tournage, montage, mixage. On peut raconter ce que l'on veut, ce n'est pas rien la jeunesse. C'est un sang neuf, une énergie nouvelle, j'aimerais beaucoup qu'ils apportent un peu de nouveauté à mon travail. Pour ne rien gâcher, ce sont des amours, ils ne pensent qu'au cinéma. Leurs cours se déroulent de 9 heures à 18 heures chaque jour. Eh bien, ils arrivent volontairement à 7 heures du matin et repartent à minuit ! Ils forment une véritable équipe, une promotion incroyable. C'est certain, ils seront copains toute leur vie. Un service militaire en quelque sorte…

Ce que je veux leur transmettre ? Le goût du cinéma. J'ai envie de leur expliquer qu'avec un film, on peut changer le monde. Que les vraies avancées du monde se réaliseront au travers d'un film, parce qu'on peut tout y évoquer, même des horreurs, sans que cela fasse mal à ceux qui le regardent, Le cinéma est un média extraordinaire pour parler aux autres, on ne peut en faire si l'on ne se passionne de tout, si l'on ne s'intéresse qu'à soi. On fera peut-être un film. On n'en fera pas deux. C'est cela le vrai message. Je crois à la force du cinéma pour permettre au genre humain d'accomplir des progrès. La construction du paradis est plus intéressante que le paradis lui-même… Je crois à l'action, au simple fait d'entreprendre même si l'on ignore ce qu'en sera le résultat. C'est fou l'imagination que peut développer l'action, cela conduit toujours quelque part.

Voilà ce que je mets en place à Beaune. Pas une école de cinéma de plus : un lieu où l'on fait du cinéma.

C

Cinéma

« C'est complètement raté,
mais vous avez beaucoup de talent. »

J'ai consacré ma vie au cinéma, je l'aime d'une façon que vous ne pouvez imaginer…

Un jour, un film sera tellement beau, tellement réussi, tellement extraordinaire, un film que l'on verra sur un grand écran, dans une grande salle, ce film sera tellement visionnaire qu'en deux heures, il pourra changer beaucoup de choses, peut-être même l'histoire du monde.

Je crois au cinéma plus qu'à tout le reste. Je crois tellement au cinéma que je me demande si je ne crois pas plus au cinéma qu'en Dieu ! Pour moi, c'est le plus beau mot du monde. Si je devais en choisir un seul dans le dictionnaire, ce serait lui, il a donné un sens à ma vie. Voilà plus de soixante-dix ans que j'en suis amoureux, que je vis une grande histoire d'amour avec le cinéma. Évidemment, il y a eu des hauts et des bas, comme dans les grandes histoires d'amour. J'ai beaucoup trompé dans ma vie : des femmes, des enfants... Lui, jamais. Telle une femme amoureuse, j'y suis resté fidèle, il est ce qui m'épate le plus au monde. Le cinéma a une force colossale pour divertir le monde mais aussi pour le changer. Grâce à lui, un jour, on comprendra ce que l'on n'a pas encore compris : le mode d'emploi. Pas un homme politique, pas un artiste n'a réussi à nous éclairer. Demain, j'en suis certain, un homme – ou une femme – un peu plus observateur que les autres, un peu plus curieux, un peu plus fou, élaborera une synthèse des questions que nous nous posons.

J'ai trois grands amours : la vie, les femmes et le cinéma. J'aime la vie, c'est le plus grand scénariste du monde, le plus incroyable, mon scénariste préféré. Le cinéma, c'est la vie en mieux. On y rencontre les personnages de la rue en plus beaux, plus intelligents, plus sexy. Comme des modèles améliorés, réussis et performants. Dans l'histoire du cinéma, tous les films qui parlent de la vie sont des exemples.

Ce qu'il y a de formidable avec le cinéma, avec les livres et les chansons aussi, c'est qu'ils nous expliquent l'art de nous servir de nos sens. Nos cinq sens sont un repère extraordinaire, la plupart des gens ne les utilisent pourtant pas, ils passent à côté de l'essentiel : les réponses à toutes leurs questions. Les artistes s'en servent bien mieux que les autres, ce sont des goûteurs, c'est pour cela qu'on les aime. Ils réveillent tous ceux qui ont tellement de choses à faire qu'ils n'emploient plus leurs sens. Ils vous disent : Ah, ce vin ! Il est formidable. Et vous le trouvez formidable ! Tout seul, vous ne vous en seriez même pas rendu compte parce qu'au moment où vous le buviez, vous n'aviez pas utilisé vos sens. Vous aviez simplement soif...

La vie, c'est la synthèse des sens, l'art de s'en servir. Ensemble, ils forment un tout. S'il en manque un, tout est pollué. C'est cela la vieillesse, la perte progressive de nos sens et par suite, celle du goût de la vie.

La force du cinéma, c'est de nous installer dans une bulle propice à l'utilisation intégrale de notre perception. À cet égard, le film qui a le plus marqué mes sens, c'est *Quand passent les cigognes.* Je ne l'ai pas vu terminé, je n'en ai vu que trente minutes, mais après ces trente minutes je me suis dit : « Voilà le métier que je veux faire. » C'était à Moscou, j'allais avoir vingt ans.

À l'époque, je suis cameraman d'actualité, mon ambition est de devenir reporter. Je vends des sujets sportifs ou politiques, culturels aussi, au journal télévisé de la RTF quand mon père – il croyait vraiment en moi – me cède sa place, au dernier moment, pour un voyage d'affaires aux États-Unis. Lui, c'était un cinéaste amateur, il avait une petite caméra achetée pour filmer ma naissance. Il me filmait petit, en train de marcher, de manger… Ce sont les premiers films que j'ai vus.

Je pars donc en Amérique avec la caméra ETM qu'il m'a offerte, accompagné d'une vingtaine hommes d'affaires du textile décidés à se rendre compte de ce qui se passe de l'autre côté de l'Atlantique. Un circuit des grandes manufactures entre Chicago et New York, l'occasion pour moi de réaliser mon premier film que j'intitule *USA en vrac.* J'y massacre l'Amérique. Rien de ce que je vois là-bas ne me séduit : l'argent plus important que tout, le dollar au cœur de tous les raisonnements… J'ai dix-neuf ans, je ne fais pas la part des choses, mais je réussis malgré tout à vendre ce film critique à la télévision française. Évidemment, il n'est pas du goût de l'ambassade des États-Unis qui proteste vivement. J'achève ainsi mon parcours à la télévision : premier film et immédiatement viré !

Une nouvelle occasion se présente alors. La télévision canadienne organise un concours doté d'un prix de dix mille dollars pour la personne qui rapportera des images d'URSS. Nous sommes en juillet 1957, en pleine guerre froide, seuls les communistes peuvent entrer en Russie. Pas le choix. Je m'inscris au Parti communiste et pars à Moscou, la caméra cachée sous mon imperméable – à l'époque, il est formellement interdit de filmer derrière le rideau de fer.

Pendant quinze jours, je filme les gens de la rue, je soudoie même mon chauffeur de taxi pour qu'il m'emmène aux studios Mosfilm, un de ses copains machino peut m'y introduire. Je jubile ! Je jubile d'autant plus qu'en arrivant aux studios, le machino me dit gentiment :

« Je suis en train de tourner un film avec Mikhaïl Kalatozov, si vous voulez je vous emmène sur le plateau. »

Nous voilà donc sur un immense plateau, dans un décor absolument incroyable, et là, il me présente à Mikhaïl Kalatozov – c'était THE metteur en scène en Russie – qui me prend en sympathie. J'ai ma petite caméra, je lui demande si je peux tourner deux ou trois plans. « Allez-y », me répond-il. Et je fais du *making-of* de *Quand passent les cigognes* !

Ce jour-là, il tournait une scène dans un escalier, la caméra montait sur une vis sans fin pour suivre le couple qui le gravissait. Je filme cette séquence, la caméra est au milieu, elle monte, elle pivote... Qui est l'acteur principal d'un film ? La caméra ou l'acteur ? Je me pose une question essentielle. Je réponds : « C'est la caméra. » Parce que la caméra a tourné dans tous les films de l'histoire du cinéma depuis les frères Lumière, dans tous les plans. Un acteur invisible peut-être, mais l'acteur principal du cinéma. Ce jour-là, sur le plateau de Kalatozov, je suis tellement émerveillé que je me dis : « Voilà le métier que je vais faire. Metteur en scène. »

Moi qui n'étais qu'un cameraman d'actualité – ce qui n'était déjà pas mal –, moi qui parcourais le monde avec ma caméra, qui me faufilais là où les autres n'entraient pas, qui filmais la mise en scène de la vie, je m'aperçois sur le plateau de Kalatozov que le metteur en scène peut intervenir. Il peut faire mourir les gens, les faire sourire, les faire pleurer, les récompenser, les punir... Bref, je me dis : « C'est Dieu. » D'un seul coup on peut être Dieu ! Certes, sur un petit espace, sur deux cents mètres carrés, mais on peut jouer à Dieu. Je trouve ça excitant, marrant. Et puisque l'acteur principal du cinéma, c'est la caméra, c'est donc la caméra qu'il faut que j'apprenne à diriger. Je suis fou de bonheur, j'ai trouvé ma voie.

Je rentre à Paris sur cette révélation. Je sais que je dois alerter le Festival de Cannes. *Quand passent les cigognes* est un film génial, fabuleux, il faut absolument le sélectionner. Je ne connais personne mais j'appelle la direction, j'explique que je rentre de Moscou, que j'ai assisté au tournage du grand Kalatozov, etc. Le film non seulement est retenu mais il obtient la Palme d'or ! J'ai eu l'œil, et le nez.

Maintenant, il s'agit pour moi de trouver un stage pour apprendre deux ou trois choses. Je n'ai suivi aucune école de cinéma, je n'ai ni les diplômes nécessaires pour m'y inscrire ni l'argent. J'en parle à mon père. Il connaît le barman des studios de Billancourt. « Allons lui rendre visite, nous verrons s'il ne peut pas te trouver quelque chose », me propose-t-il.

Aux studios de Billancourt, nous buvons un verre avec le barman. Il connaît un certain Roger Dallier, un assistant metteur en scène qui travaille actuellement sur le film de Léo Joannon, *L'Homme aux clés d'or* avec Pierre Fresnay et Annie Girardot. Il va lui parler.

Encore une fois, les ricochets de la vie… Roger Dallier m'accorde un moment :

« Nous sommes en train de finir le film, il nous reste trois semaines en studio. J'en ai parlé à Léo Joannon, il est d'accord, à condition que vous vous mettiez dans un petit coin. Vous n'avez qu'à regarder. »

C'est ainsi que je deviens stagiaire sur *L'Homme aux clés d'or*. Je suis fasciné. Je découvre Annie Girardot – c'est son premier film – et Pierre Fresnay, une légende vivante. Pendant trois semaines, j'apprends mon métier. En regardant.

Très vite, Léo Joannon se rend compte que je suis curieux. Il me demande mon avis, il veut savoir si cela me plaît. À un moment donné, un champ-contrechamp sur une scène avec Pierre Fresnay et Annie Girardot me chagrine. La caméra filme Pierre Fresnay en premier, Annie Girardot est derrière la caméra, elle donne la réplique. J'interpelle Léo Joannon :

« C'est dommage que vous ne tourniez pas avec deux caméras. Lorsque l'on a fait les plans sur Annie Girardot, elle était moins bien que lorsqu'elle donnait la réplique.

— Ce n'est pas bête, mais la technique ne nous permet pas d'éclairer deux personnes en même temps. Nous devons en éclairer une, puis éclairer l'autre », me répond-il.

Pendant trois semaines, j'assiste au tournage, au montage, à la projection des rushes. Tout le monde est adorable avec moi. Je note tous les avantages et tous les inconvénients. Je me dis que si un jour je fais des films, ça, je le ferai, ça, je ne le ferai pas. Et que je tournerai avec deux caméras…

À la fin du stage, j'ai clôturé mes études de cinéma. « Un jour, tu créeras une école de cinéma où le principe sera d'assister au tournage d'un film », me dis-je en quittant le tournage. C'est ce que j'ai finalement réalisé à Beaune, quelques années plus tard. La boucle est bouclée.

« Maintenant, ce serait formidable si tu pouvais entrer au service cinéma des armées. »

Mon père était convaincu que j'étais fait pour le cinéma. C'était une très bonne idée, après ces trois semaines de stage, le service militaire m'attendait.

Je me rends donc au fort d'Ivry-sur-Seine et y présente mon film sur la Russie. Mes interlocuteurs sont impressionnés, ils m'acceptent. À vingt ans, je devance l'appel de six mois – autant y aller le plus vite possible – et me retrouve à l'armée, en pleine guerre d'Algérie. Là, j'apprends vraiment mon métier.

Je débute à la cinémathèque où je peins les boîtes de pellicules. Les préliminaires. J'apprends ensuite le métier de projectionniste, celui d'assistant, jusqu'au jour où un metteur en scène libéré doit être remplacé. « Hop, Lelouch, c'est pour vous », me dit-on. D'un seul coup, je me retrouve metteur en scène à l'armée sur *Le Vol des hélicoptères la nuit en montagne*, un film très école, destiné à apprendre aux pilotes à voler de nuit. Je débarque illico dans la base de Chambéry, et je fais mon premier film. Je tourne en 35 mm, on m'octroie un chef opérateur, j'ai des projecteurs... en fait, des moyens considérables. Comme le film est réussi, on m'en donne un autre, puis un autre... Je me rends même en Algérie, en tant que reporter. En vingt-huit mois d'armée, je réalise sept films – un véritable entraînement intensif – et je me rends bien compte que mon approche retient l'attention de ceux qui œuvrent avec moi.

Libéré à vingt-deux ans, gonflé à bloc, je me dis dans la foulée : « Je me lance, je fais mon premier long-métrage. » Je fais ainsi *Le Propre de l'homme,* avec rien, très peu d'argent, et là... je me prends le gros gadin ! Le film est un échec commercial total. Précipitation, excitation, j'ai une énergie démoniaque, je commets toutes les erreurs que l'on peut faire dans un film. La meilleure école du monde...

Je ne sais comment, le film réussit tout de même à sortir dans une salle à Paris, au cinéma d'art et d'essai de la rue Caumartin. Il y fait vingt-six entrées... Parmi les spectateurs, Pierre Braunberger[1], le grand producteur de l'époque, celui de la Nouvelle Vague[2]. Qui me convoque dans son bureau.

« Écoutez, Claude Lelouch, il y a dans votre film un quart d'heure absolument époustouflant. Faisons un court-métrage. »

Moi, je le prends comme une insulte. Je décline la proposition.

---

1. Producteur français de génie, découvreur et révélateur d'innombrables talents, depuis sa rencontre avec Renoir jusqu'au cinéma d'aujourd'hui. C'est un des acteurs principaux de l'histoire du cinéma.

2. Formule de Françoise Giroud dans *L'Express* du 3 octobre 1957 servant à qualifier les jeunes en général. En 1959, Pierre Billard reprend la formule avec d'autres chroniqueurs pour désigner les cinéastes issus des *Cahiers du Cinéma* réalisant alors leurs premiers longs-métrages.

« De toute façon, je suis sûr que l'on va entendre parler de vous dans le cinéma. Si un jour vous faites un film, pensez à moi, je serai ravi de vous aider », ajoute-t-il.

Fier, je le suis. Pierre Braunberger a quand même découvert Truffaut, Godard, Renoir, Reichenbach… En même temps, je me sens humilié qu'il veuille faire un court-métrage de mon long-métrage. C'est lui qui avait raison, bien sûr. Mais l'ego, la jeunesse…

Je me réjouis pourtant : le patron de la Cinémathèque, Henri Langlois, a décidé de projeter *Le Propre de l'homme*. À vingt-deux ans, être déjà à la Cinémathèque française… Hélas, le film se fait siffler pendant deux heures ! C'est terrible, terrible… Mon père et ma mère sont dans la salle, j'ai envie de mourir pendant deux heures. À la fin de la projection, presque les larmes aux yeux, mon père s'approche de moi.

« Tu sais, les clous qui dépassent attirent toujours le marteau, c'est un proverbe japonais. Et tu es un clou qui dépasse… Tu vas attirer le marteau toute ta vie. »

Quelques jours plus tard, mon père meurt dans mes bras d'un infarctus à 3 heures du matin. J'ai toujours pensé que la déception de cette projection, la tristesse, en était la cause. Il n'aura jamais eu l'occasion d'assister à mon succès. J'en ai voulu à ce film. J'ai eu le sentiment d'avoir tué mon père.

De cet échec au sommet, public et critiques unanimes, j'ai reçu une leçon absolument incroyable, peut-être la plus belle école de ma vie. Cela partait trop vite, l'ascenseur est redescendu instantanément. J'avais produit le film, je me retrouve pratiquement en faillite. Ma société Les Films 13 va devoir déposer le bilan. C'est au laboratoire Éclair, le plus grand laboratoire français de production et post-production, que je dois le plus d'argent. Il a eu la gentillesse de me faire un crédit, il a maintenant le pouvoir de me mettre en faillite.

Se présente alors à moi un écrivain marié à une pharmacienne très riche. Jean Fougère a vu mon film, il l'a trouvé pas mal. Il aimerait adapter à l'écran son roman *La Vie de château,* les mésaventures d'un homme qui achète un manoir en ruine et se retrouve confronté à tous les ennuis de la terre.

— Voulez-vous le mettre en scène ? me propose-t-il.

Le scénario est amusant, je suis au bord de la ruine : je n'hésite pas. Me voilà lancé à faire le film, avec mon équipe de techniciens. Au bout d'une semaine, c'est la catastrophe, rien n'est plus possible. La pharmacienne ne paie pas, elle refuse l'accès des toilettes aux techniciens qui doivent se contenter du parc, bref, l'ambiance est détestable. On interrompt le tournage sur un désastre, encore un. Me voilà à la rue, effondré.

Un matin, je me décide. J'entre dans le bureau du directeur du laboratoire Éclair, un certain Jacques Mathot, réputé ne pas plaisanter. Un dur à cuire, m'avait-on dit. Erreur. Je tombe là sur un type charmant :

« Je me suis fait projeter votre film ce matin. C'est complètement raté, mais vous avez beaucoup de talent. Je sais qu'un jour vous me paierez. D'ailleurs, si ça vous amuse, j'ai un bon copain, Gérard Sire, qui fait des Scopitone. Il est en panne de metteur en scène, c'est urgent, voulez-vous y aller ? »

Il me branche sur ce fameux Gérard Sire – je ne le connais absolument pas – qui produit ces vidéo-clips de chanteurs que l'on regardait dans les cafés sur des sortes de juke-box équipés d'écrans couleur.

Encore une fois, le jeu des ricochets, des hasards, des coïncidences, fait que je me retrouve une heure plus tard à Pilote Productions, la société de Gérard Sire. L'homme est charmant… et pressé. Un film à faire avec Félix Marten – un chanteur lancé par Édith Piaf, une sorte d'Yves Montand du pauvre –, mais Alexandre Tarta, le réalisateur des premiers Scopitone, n'est pas disponible. Sire m'engage comme on s'empare d'une roue de secours.

Me voilà donc avec Félix Marten, un type sympa très gentil, en route pour Honfleur où l'on doit tourner sur un petit bateau sa chanson *La Rigolade*. Je filme à toute allure, en une journée, je monte le Scopitone dans la nuit, je présente le résultat deux jours plus tard à un Gérard Sire épaté :

« C'est génial, c'est formidable, vous avez fait ça en deux jours ? Et en plus, ce n'est pas cher... »

J'intègre ainsi la bande de Pilote Productions qui me prend en sympathie. D'un seul coup, je passe ma vie à l'Olympia, je deviens en l'espace d'un an M. Scopitone. Je tourne plus d'une centaine de titres des plus grands groupes et chanteurs de l'époque : Claude Nougaro, Dalida, etc. Je réalise le premier Scopitone de Claude François : *Belles, belles, belles*. Brel et Bécaud viennent plus tard. Tourner ces petites comédies musicales m'amuse beaucoup. Par la même occasion, je découvre la force de la musique au cinéma. Ce n'est pas innocent s'il y a tant de musique et de chansons dans *Un homme et une femme*.

Grâce aux Scopitone – ma bouée de sauvetage –, je réussis à payer mes dettes et rembourse Éclair intégralement. Je justifie et confirme ainsi la confiance que m'a accordée Jacques Mathot. Il aurait pu m'achever, il m'a sauvé : je lui serai fidèle. Dès cet instant, je sais que je ferai tous mes films chez Éclair.

Rapidement, mes affaires s'arrangent. J'ai maintenant une réputation – pas encore dans le cinéma mais dans le Scopitone –, je fais la connaissance de toutes les stars de la chanson de l'époque, à partir de là, j'existe.

Une troisième tentative de long-métrage s'impose. Je fais *L'Amour avec des si*, l'histoire d'une rencontre amoureuse sur fond de traque policière. Le film ne me coûte pratiquement rien, il plaît beaucoup à Pierre Braunberger qui l'achète pour le monde entier. Je suis sauvé, d'autant que Pierre fait montre d'une prudence exemplaire :

« Nous n'allons pas le sortir en France, les critiques ont massacré votre premier film, votre réputation est épouvantable. Nous allons passer par la Suède et sa semaine du cinéma français », décide-t-il.

Il réussit à faire sélectionner le film. La critique suédoise est enthousiaste, j'acquiers quatre étoiles. La Suède me découvre. Ingmar Bergman voit le film et le gratifie d'une parole légendaire : « C'est un film complètement raté et totalement réussi. » Je n'ai jamais compris ce que cela voulait dire, mais la formule attire l'attention des critiques. *L'Amour avec des si* fait une petite carrière en Suède, suffisante pour amortir les maigres dépenses engagées et permettre aux Films 13 d'acquérir une indépendance financière. En France, évidemment, le film se fait massacrer – une fois de plus – par la critique qui ne veut pas se contredire.

Pendant une ou deux années, je continue à réaliser des Scopitone avec Gérard Sire quand Pierre Braunberger me propose de produire *La Femme spectacle*, un film sur ces femmes que l'on n'a pas envie d'épouser, ces femmes qui font peur. Un documentaire. Un film de commande. Un véritable désastre aussi : je fais le plus mauvais film de ma vie ! Non seulement je trahis le cinéma mais je trahis aussi les femmes. J'aime les femmes, je les respecte, ce n'est pas mon truc les portraits des femmes que l'on n'a pas envie d'épouser... Les comédiennes sont de vraies stripteaseuses, de vraies prostituées, et bien évidemment le film subit la censure qui sabre la moitié du film. Trop osé.

Quatrième échec français, quatrième catastrophe.

Je ne désespère pourtant pas. J'enchaîne avec *Une fille et des fusils*, le premier film qui rencontre un succès d'estime auprès du public ; la presse, comme toujours, l'assassine. Tant pis.

Consolé de l'échec de *La Femme spectacle*, Pierre Braunberger voudrait que je lui donne une suite. Je reprends les mêmes acteurs et je réalise *Les Grands Moments,* une parodie des films de James Bond ; c'était à la mode à l'époque. Mais là, c'est la catastrophe des catastrophes. Le film est un monstrueux échec. Il ne sort pas, il n'intéresse personne, ni le public ni les critiques. Pierre Braunberger avec qui j'ai produit le film perd de l'argent. Nous sommes au trente-sixième dessous. Je me retrouve à la case départ.

Peut-être devrais-je abandonner ce métier… Je ne suis manifestement pas fait pour lui, mes six premiers longs-métrages sont une succession d'échecs, rien n'aboutit vraiment. N'est-ce pas le moment de trouver une autre voie, de faire autre chose ? Je me pose réellement la question.

C'est à ce moment-là que je vais faire *Un homme et une femme*… C'est au moment où je suis au fond du gouffre que le soleil va arriver. Comme dans la vie.

D

Deauville

« La Normandie, c'est ma pharmacie préférée. »
« Je symbolise Deauville à moi tout seul. »

Deauville, la Normandie, c'est ma mère.

Ma mère est née à Ifs, un petit village de la banlieue sud de Caen, et évidemment – on ne peut empêcher cet attachement à la terre – lorsqu'elle rencontre mon père, un juif d'Alger, elle lui fait découvrir son pays. Les week-ends en Normandie deviennent dès lors une habitude.

C'est à Auberville, un petit village à proximité de Deauville, là où je possède mon manoir, qu'habitait son oncle, un personnage extraordinaire que j'adorais. Haut en couleur, c'était un vrai coquin, trafiquant de tout et gros buveur de calvados, qui baisait toutes les fermières de la région ! Dernier survivant de sa génération, il était accueillant, rigolo et avait pris l'habitude de me garder. La nuit, nous allions livrer le calvados, traire les vaches… Sans enfants, il avait comme principale occupation ses rendez-vous galants et passait son temps à faire le tour des fermes, cela m'emplissait de joie.

Le week-end, pour ne pas résider toujours chez lui, mes parents louaient une chambre d'hôtel à Villers-sur-Mer, une commune limitrophe. J'ai grandi sur cette jolie plage située à deux kilomètres de Deauville, dominée par les Vaches Noires, des falaises sauvages dont la roche s'effrite et qui, pour cette raison, demeurent inconstructibles.

Villers-sur-Mer, c'est Deauville moins cher et plus familial. Le dimanche, nous allions faire un tour à Deauville comme l'on va à Orly contempler les avions… Nous allions voir les riches. Dans mon univers de gosse, c'était une espèce de petit paradis.

Évidemment, comme j'y vais alors toutes les semaines, on me force à aimer la Normandie. J'imagine que si l'on m'avait fait le coup à Marseille, j'aurais marché pour Marseille aussi. À un moment donné, les habitudes prennent le pas sur tout, elles rentrent en nous.

Toujours est-il qu'en grandissant en Normandie, je suis fasciné par la puissance de la lumière, essentielle, capitale dans ma vie – comment un rayon de soleil peut-il à tel point tout sublimer ? –, par ce climat aussi, qui offre tous les climats dans la même journée. Il fait chaud, il fait froid, il pleut…

C'est un climat qui fait fuir les imbéciles, ça, c'est formidable ! Ceux qui vont en Normandie savent apprécier l'essentiel, les qualités du mauvais temps. Sans la pluie, pas d'herbe verte qui fait du Pays d'Auge l'un des pays les plus riches de France. Tout y pousse. Tout y bouge très vite. C'est un pays pour moi.

Et puis il y a les chevaux. Je n'aime pas monter à cheval, l'expérience n'est pas rassurante, mais j'adore les regarder, les voir galoper sur la plage, s'entraîner au petit matin sur le champ de courses. J'y vais prendre mon premier café, le spectacle est splendide, plus enchanteur que les courses elles-mêmes.

Une relation naturelle s'est véritablement installée entre moi et la Normandie, j'y suis aujourd'hui très attaché. Un week-end sans Normandie et me voilà très malheureux. La lumière en permanence, le vent, les tempêtes, les grandes plages magiques à marée basse me manquent infiniment. La Normandie, c'est ma pharmacie préférée, le meilleur des médicaments, mon fournisseur d'énergie. J'aime cette région, naturellement. On m'a forcé à l'aimer, à force je l'ai aimée.

Dès lors, y tourner *Un homme et une femme* me semblait une évidence. À deux heures de Paris en voiture, la force de Deauville est de constituer le vingt et unième arrondissement de la capitale. À l'époque, Deauville m'a vraiment ouvert ses portes. Le second adjoint au maire Michel d'Ornano, un type charmant dénommé Pierre Rousseau, architecte et constructeur de travaux publics, disposait des clés de la ville. Il m'a offert son aide, présenté au directeur de l'hôtel Normandy, facilité toutes les démarches, C'était jusqu'à ce que je lui demande l'intervention des pompiers pour fabriquer de la pluie. Là, c'en était trop pour lui… Il a refusé que l'on donne une image pluvieuse à Deauville !

Après la sortie de *Un homme et une femme*, évidemment, les choses ont beaucoup changé. On a rempli Deauville de visiteurs qui ne s'y rendaient auparavant qu'à la belle saison ; avec le film, ils ont découvert sa beauté hivernale. Et puis la ville est devenue un lieu romantique. Combien de couples viennent jouer *Un homme et une femme* sur la plage, sur la place Claude-Lelouch où a été tourné le film… Combien de types embarquent une nana à Paris – sans Mustang, même en 2 CV – dans l'espoir de l'emballer à Deauville… Deauville, c'est moins loin que Venise mais c'est la même démarche. Ça a la vertu des pubs. On s'imagine qu'en mettant un parfum, ça va changer notre vie. Là, on roule sur la plage, et puis ça marche ou ça ne marche pas… C'est pareil.

Aujourd'hui, je symbolise Deauville à moi tout seul. Je suis constamment sollicité, j'ai une place à mon nom – ce n'est pas rien –, j'ai même indirectement participé au développement du Festival du cinéma américain de Deauville… Et pour cause. Les Américains situaient le lieu du festival lorsqu'on leur expliquait que c'était à Deauville qu'avait été tourné *Un homme et une femme*. Là, ils avaient un repère, sinon Deauville, pour eux, cela ne voulait rien dire.

Le film a sûrement beaucoup apporté à la ville. C'est cela l'intérêt du cinéma, ça ouvre des horizons.

Plus tard, en 1976, j'ai voulu réitérer l'expérience normande. Mon projet se nommait *L'Hôtel*, un film sur plusieurs saisons, intégralement tourné dans un hôtel. Comment faire ? Le louer ? Compliqué. Le construire à Paris en studio ou le bâtir en Normandie ? Les coûts étant identiques, je décide d'acheter des terrains et de construire à Tourgéville, une commune limitrophe de Deauville. Le problème, c'est que pour édifier un établissement de la sorte, il faut trois ans. Et qu'au bout de trois ans, je n'avais plus envie de faire le film. Me voilà donc avec un hôtel et une propriété de vingt hectares sur les bras et ce, jusqu'en 2009. Là, j'ai vendu l'hôtel, conservé une partie des terrains et bâti des maisons.

J'adore construire, c'est une passion. Faire des maisons, aller sur les chantiers, c'est comme faire des films, c'est le même procédé. Et puis le week-end en Normandie, je ne tiens pas en place, alors cela me donne quelque chose à faire. Je ne suis pas vraiment le genre de type à lézarder sur une plage...

Je me suis bien amusé. Dans ce lieu magique, extraordinaire, j'ai bâti trois magnifiques manoirs qui bénéficient de tous les services de l'hôtel. Le but annoncé : fonder un centre d'écriture pour scénaristes, une sorte de villa Médicis du cinéma dédiée à tous ceux qui veulent écrire, réfléchir, créer.

C'est ce que j'ai déjà réalisé à Praz-sur-Arly dans les Alpes, là où j'ai tourné *Roman de gare* et *Salaud, on t'aime*. Ces deux espaces sont maintenant en relation avec les ateliers de cinéma de Beaune, les scénaristes peuvent désormais choisir entre la mer et la montagne pour travailler.

On a besoin d'être dans une bulle quand on entre en écriture. Lorsque j'aborde la phase finale de mes films, je m'enferme avec deux ou trois copains écrivains, il nous suffit de manger, de dormir, d'échanger pendant dix jours pour alimenter notre imagination. L'imagination, il faut la provoquer constamment. C'est la même histoire pour les dialogues. Lorsque je les écris seul, ils se transforment en monologues. Un dialogue, c'est une contradiction, une opposition, de la contestation. C'est un match qu'il faut déclencher.

Côté familial, rien à redire, mes enfants ont attrapé le virus normand par la force des choses. Le manoir d'Auberville est devenu le repère de la famille, la maison de tous les enfants. C'est une maison ouverte, ils y viennent quand ils veulent, seuls ou avec les copains. Disons que c'est leur refuge, notre refuge à tous. C'est d'ailleurs tellement la maison des enfants que je n'y suis plus tranquille !

Ce manoir, c'était la maison de mes rêves de gosse… Petit, j'avais pris l'habitude de monter dans les falaises avec mes potes – je devais avoir dix ou douze ans à l'époque –, nous passions régulièrement devant un petit manoir que je trouvais formidable. « Si un jour j'ai un peu d'argent, voilà l'endroit que j'aimerais acheter », leur disais-je.

Après mon premier divorce – j'avais laissé la maison à ma femme –, je me suis dit : « Tiens, je vais aller m'acheter un truc en Normandie. » Évidemment, je suis retourné à Villers-sur-Mer et évidemment, je suis allé revoir le manoir. Il y avait une chance sur mille pour qu'il soit à vendre.

La porte était grande ouverte, un jardinier ratissait le gravier.

« Bonjour, monsieur, à qui appartient ce manoir ?

— À moi.

— Je vais vous poser une question idiote : il n'est pas à vendre par hasard ?

— Écoutez, ça tombe très bien. Hier soir, avec ma femme, on a décidé de le vendre. »

Après quarante ans ! Encore une fois, les hasards et les coïncidences...

Cet endroit m'était destiné, je l'ai immédiatement acheté. Et comme ce n'était pas Deauville, il ne m'a même pas coûté cher !

Auberville, au-dessus de Villers-sur-Mer, c'est ma principauté de Monaco à moi. Je pense que si tout va bien, je finirai mes jours là-haut. J'y ai même enterré mon père et ma mère.

Dans *Un+Une*, j'ai repris le nom de famille de ma mère. On cherchait un nom, c'est Jean Dujardin[1] qui m'a mis sur la piste :

« Quel est le nom de ta mère ?

— Abeilard.

— Eh bien, voilà, je vais le prendre. »

Ma mère s'appelait Eugénie Abeilard, on la nommait Nini parce qu'Eugénie, c'est compliqué. Elle avait rencontré mon père à Paris. Il l'avait repérée dans le métro, s'était assis à côté d'elle jusqu'à la station Bonne-Nouvelle, puis il l'avait filée sur les Grands Boulevards. À un moment donné, elle était rentrée dans un cinéma voir un film de Fred Astaire et Ginger Rogers. Il l'avait suivie dans la

1. Dans *Un+Une*, l'acteur Jean Dujardin joue le rôle d'Antoine Abeilard, un grand compositeur français.

salle, draguée pendant la séance, et ne l'avait plus jamais lâchée.

Quelques années plus tard, vingt-six ans plus tard exactement, c'est Fred Astaire et Ginger Rogers qui me remettaient l'Oscar ! J'ai d'ailleurs raconté cette histoire à Fred Astaire et j'ai réalisé un petit court-métrage très mignon sur leur rencontre.

Mon père adorait le cinéma, ma mère aussi. Je sais d'où je viens… C'est une jolie histoire toute simple, d'un classique épouvantable, mais il fallait oser suivre une femme, s'asseoir à côté d'elle, il fallait un certain culot. Ils devaient être très jeunes, je ne me suis jamais posé la question…

E

Enfants

« J'ai eu sept enfants avec cinq femmes différentes,
je suis donc le salaud de service. »
« Je déteste les gosses bien élevés. »

J'aime les acteurs parce que ce sont des enfants. De grands enfants peut-être, mais des enfants tout de même. Avec leur goût du jeu, leur goût de la cour de récréation. Ils jouent au papa, à la maman, au gangster, au western... Aucun enfant n'est mauvais acteur, cela n'existe pas.

Ce qu'il y a de prodigieux chez un enfant, c'est qu'il vous permet de rester jeune. Tant qu'il y a un enfant à la maison, vous ne pouvez pas vieillir, c'est le meilleur moyen de rester dans le coup. En même temps, ils sont d'une cruauté terrible, ils ont tous les défauts de la terre. Tous. Ils sont menteurs, tricheurs, ils dénoncent leurs copains... En grandissant, quand on siffle la fin de la récréation, ils deviennent peu à peu moins intéressants. Leurs défauts se transforment, s'arrondissent, se gomment.

Je n'ai jamais dit « je veux un enfant ». Ils sont arrivés comme ça, des accidents formidables. À un moment donné, on vous annonce : « Tiens, je suis enceinte », et cela a toujours été une bonne nouvelle. Je suis plutôt un adepte du oui, j'ai toujours été plus récompensé quand je disais oui que quand je disais non. Derrière le oui, il y a un parfum de courage, derrière le non, un parfum de trouille.

Les enfants, cela commence toujours par être une bonne nouvelle… avant de se transformer en emmerdements. Pour le papa que je suis, les enfants restent mes emmerdements préférés ; et quand on en a sept…

Dès que je vois l'un de mes enfants, je suis le plus heureux du monde. Ils ne me téléphonent que lorsqu'ils ont des ennuis, jamais quand tout va bien, et pourtant je suis ravi qu'ils me téléphonent. Je suis tellement content qu'ils m'appellent que je suis presque content qu'ils aient des problèmes ! La propension des enfants à nous aimer est proportionnelle à leurs emmerdes. C'est un truc très tordu, un truc pas clair du tout. « Vous nous avez voulus, vous êtes donc coupables de notre naissance » : voilà ce qu'ils nous disent. Dès lors, ils nous envoient en prison toute notre vie. Nous sommes à leur merci et nous adorons cela. C'est un sentiment très bizarre, obscur et merveilleux à la fois, avec ce fil invisible et incassable qu'ils tissent entre eux et nous. On a vu pendant la guerre des soldats blessés appeler leur maman. La première personne à laquelle ils pensent, c'est à leur mère, pas à la femme qu'ils aiment. Dans la grande souffrance, la roue de secours, la bouée de sauvetage, c'est maman.

Avec les enfants, c'est le pire et le meilleur en permanence. C'est une véritable épreuve, sublime et merveilleuse évidemment, mais cela reste une épreuve.

Quand on les fait, d'abord on est fier. On ne sait pas pourquoi, tout le monde sait en faire, mais on est fier, on a le sentiment d'avoir une récompense, on se dit : « Tiens, je suis utile à l'humanité, j'apporte ma goutte d'eau... » On a le sentiment de se prolonger indirectement. On voudrait qu'ils nous ressemblent, qu'ils répondent à tous nos rêves, mais la première chose qu'ils cherchent à faire, c'est à ne pas ressembler à leurs parents !

Quand ils tentent de nous faire un procès, ils y vont à fond. Leurs premières critiques – et ils ne prennent pas de gants –, c'est pour le père, la mère, la vie quotidienne, tout ce qu'on leur propose. À un certain âge, ils ont même honte que vous les accompagniez à l'école. On devient la honte. Par principe, ils crachent dans la soupe, c'est le propre des enfants, de ceux que l'on fait, que l'on croit avoir fait... Moi, lorsque je parle à table à mes enfants, ils ne m'écoutent pas, ils s'en fichent. Ils sont un peu plus attentifs quand ils vont voir mes films. Là, on les plonge dans le noir, ils n'ont pas vraiment le choix. Tandis que les enfants des autres, les enfants du cinéma comme mes élèves à Beaune, eux, au lieu de cracher dans la soupe, ils la dégustent. Ils sont en demande d'apprendre le cinéma, ils savourent tout ce que je leur propose. C'est le soleil de ma vie, mais je n'ai pas grandi avec eux, je les ai pris autour de vingt ans...

Avoir des enfants, ce n'est pas une sinécure. Quant à prendre des vacances avec eux, on ne peut y compter. L'art des vacances, c'est l'art des marches avant, des marches arrière, l'art de ne rien faire. Avec un enfant, impossible. Tout-petits, c'est vingt-quatre heures sur vingt-quatre, et dès qu'ils s'endorment, on est tellement content que l'on ne fait plus rien pour ne pas les réveiller ! Ils vous prennent un temps fou, ils vous font faire des heures sup, ils vous bouffent vos journées, vos nuits, et puis, surtout, ce sont des arbitres terribles entre vous et la personne que vous aimez. C'est très dur pour un homme l'arrivée d'un enfant. D'un seul coup, vous n'êtes plus un homme libre, c'est fini, vos enfants passent en priorité. Un coup de téléphone de l'un d'entre eux et tout s'arrête. Le moindre rhume, la moindre grippe, on fonce à l'hôpital. Ils nous pourrissent la vie et, pourtant, on les aime un peu plus que nous-mêmes.

Un étranger qui meurt, c'est un étranger qui meurt. Mais perdre un enfant, c'est comme mourir soi-même. On approche la mort, on la ressent. Ils sont ce que l'on aime le plus et ce que l'on déteste le plus. C'est toute la contradiction de l'amour, sa force aussi.

Je connais des tas de gens qui n'ont pas d'enfants. Lorsqu'ils sont jeunes, qu'ils n'arrivent pas à en avoir, ils sont très malheureux. Quand ils vieillissent, qu'ils ont vu tous leurs copains accablés par leurs mômes, ils commencent à se dire qu'ils ont bien de la chance, mais le sentiment d'avoir raté leur vie les taraude néanmoins. Il faut faire un enfant, c'est le prix à payer, la facture, ce que l'on doit à la société pour que la vie continue.

Nous avons envie que nos enfants réussissent, c'est plus important que notre propre réussite. Jusqu'à quatre ou cinq ans, ils nous appartiennent. Nous sommes leurs premiers spectateurs, ils désirent nous épater. Nous sommes Dieu. C'est un peu la même idée avec les chiens, sauf que les chiens ne nous trahissent jamais. Ils ont inventé la fidélité, c'est une de leurs trouvailles.

Un jour donc, un jour comme ça, vous emmenez vos enfants à l'école. Vous leur dites au revoir, la journée passe, et puis le soir, quand vous venez les rechercher, ce ne sont plus les mêmes. Ils sont devenus vos ennemis. L'école, les copains, les profs… D'un seul coup, ils se disent : « Non, mon père, c'est pas Dieu. Dieu, c'est mon copain dans la cour, c'est mon prof. » Moi, quand j'étais gosse, je voulais épouser ma mère. Je n'imaginais pas une femme plus formidable qu'elle. Et puis à l'école, une petite copine dans la cour de récré…

À l'école, on leur dit tout ce que l'on n'ose pas leur dire à la maison, on leur fait découvrir des auteurs de talent, des peintures incroyables, des morceaux de musique enchanteurs, des films éblouissants… D'un seul coup, un champ extraordinaire s'ouvre à eux, et les parents rapetissent de jour en jour. On ne peut pas lutter avec la beauté du monde, nous avons tous été enfants. À partir de cet instant, ils vous traitent d'égal à égal, ils vous font des procès, ils vous cachent tout, ils fument des cigarettes, ils boivent, la moindre réflexion prend des proportions incroyables… Ils appartiennent à la vie et la vie se les approprie.

Tout cela, je l'ai vécu en direct. Je suis un observateur, j'ai bien vu que l'école m'a ouvert les yeux sur mes propres parents, sur leur façon de vivre. Je me suis bien aperçu aussi que l'école m'a éloigné de mes sept enfants, qu'elle les a cassés avec ses bonnes et ses mauvaises notes. Avec ses professeurs également, des individus qui ne connaissent pas vos enfants mais qui en parlent mieux que vous. Qui vous disent : « Votre fille ou votre fils, il est ci, il est ça. » Qui commencent toujours par vous dire que vos bambins sont très doués avant de vous fustiger pour leur fainéantise. Il y a chez tous les éducateurs un bonheur total à vous expliquer que votre fils est le roi des cons, et que c'est vous qui l'avez fait ! On est au cœur même des contradictions du monde dans lequel on vit.

Pour s'occuper de mes enfants, j'ai eu la chance d'avoir des nurses. Ils ne m'ont donc pas étouffé, les recevoir était plutôt une belle récré. Mais à chaque séjour, ils me faisaient mon procès. Ils arrivaient chargés de tout ce que leurs mères leur avaient dit : « Ton père, c'est un enfoiré, il ne s'occupe pas de toi », etc. La première journée, c'était le procès. La deuxième se passait bien, mais je devais les ramener en fin d'après-midi… c'est la vie des enfants de divorcés. En même temps, c'est une chance. Ils apprennent la vie deux fois plus vite, ils sont beaucoup plus malins. Ils souffrent, ils manquent de tendresse au quotidien, mais ils sont gâtés des deux côtés parce que les parents veulent être aimés : deux fois plus de cadeaux, deux fois plus d'anniversaires, deux fois plus de Noël… À la maison, je me souviens d'avoir assisté à des drames, des engueulades terribles entre mon père et ma mère, qui m'ont traumatisé. Pour des enfants, le divorce me semble beaucoup plus fructueux que les engueulades quotidiennes.

Mes enfants ont davantage vécu avec leurs mères qu'avec moi. Chaque fois qu'ils sont venus me voir, que je les ai récupérés pour mes week-ends à moi ou pour les vacances, ils sont venus avec les yeux de leurs mères qui les avaient préparés. J'ai eu sept enfants avec cinq femmes différentes, je suis donc le salaud de service. Il leur fallait deux ou trois jours avant qu'ils se disent : « Tiens, c'est curieux, il n'est pas si salaud que ça… non, il est marrant, il est sympa. Pourquoi disent-elles ça ? » Le doute s'installait, ils rentraient chez eux : « J'ai passé trois jours formidables avec papa, on s'est bien marrés… » Et là, bong : « Ah oui, il t'a acheté… »

À chacun de leurs séjours, j'ai eu à combattre, à opérer une période de désintoxication. Cela vous entraîne incontestablement à la critique, à prendre des coups !

Les filles sont plus tolérantes avec leur papa parce qu'elles peuvent plus facilement les prendre dans leurs bras, les embrasser. Elles savent toujours vous faire dire oui et, quand vous dites non, elles vous font la gueule !

Je me souviens d'un jour, j'étais au manoir avec ma fille Sarah âgée de dix ou douze ans, elle avait invité ses copines. Installées devant la cheminée, elles discutaient tranquillement. Moi, je travaillais dans la pièce contiguë, elles ne m'avaient pas vu. J'étais un peu gêné parce que j'entendais vraiment leurs conversations. À un moment donné, l'une d'entre elles s'interroge : « Oui, mais si on fait ceci, on va se faire engueuler... » La réponse de ma fille n'a pas tardé : « T'inquiète pas ! Mon père, j'en fais ce que je veux. Je l'embrasse, je lui dis ci, je lui dis ça, et voilà... »

J'étais sidéré. J'entendais ma fille parler de moi comme jamais. Évidemment, j'avais envie de rire, elle avait la lucidité d'annoncer qu'elle me manipulait, mais je me disais aussi que quelque chose n'allait pas. Dès cet instant, je n'ai jamais plus parlé avec ma fille de la même façon...

Les filles ont plus de mémoire que les garçons. Même quand elles ont passé un bon week-end, une certaine suspicion demeure. J'ai grandi avec la méfiance de mes enfants, les yeux de leur mère. C'est la vie. Je n'ai jamais supporté la médiocrité dans les rapports quotidiens avec une femme, j'en paie le prix. À un moment donné, je me dis que ce n'est pas la peine que l'on se fasse souffrir. Quand l'amour n'est plus là, vivre avec quelqu'un que l'on n'aime plus ou qui ne vous aime plus, c'est la pire des punitions.

En grandissant, les enfants remettent les choses en place. Un jour, ils font le procès de leur mère. D'un seul coup, comme le boomerang, ils reviennent à une vitesse absolument incroyable. Il m'est même arrivé – pendant une période d'une heure ou deux – d'être un héros !

Plus tard, lorsque eux-mêmes ont des enfants, là c'est formidable. Les petits-enfants n'ont que des avantages. Ils sont le bénéfice, les dividendes de la famille. Mais j'en conviens, je suis un drôle de père. Et de grand-père. Je déteste les gosses bien élevés, je ne les supporte pas. Je ne leur apprends que des gros mots, et plus je leur apprends de gros mots, plus ils sont polis ! Leur donner envie de faire tout ce qui est interdit, en faire des voyous, voilà ce que j'adore. Parce que je sais qu'ils se débrouilleront mieux dans la vie avec un esprit voyou qu'avec un esprit carré.

Moi, j'ai fait de mauvaises études mais je n'ai jamais été triste quand mes enfants n'étaient pas bons à l'école, qu'ils avaient de mauvaises notes. Je me suis toujours dit : « C'est bon signe, ils vont être obligés de composer avec eux-mêmes. » On peut toujours se reposer sur ses performances en pensant que l'on est protégé. Ce n'est pas vrai. Les cancres – dont je fais partie – ont une faculté à être plus heureux que les bons élèves. Je l'ai vérifié autour de moi.

La culture, c'est formidable, c'est extraordinaire, c'est un raccourci saisissant qui vous permet de vous nourrir des emmerdements des autres quand l'inculte apprend avec les siens propres. La souffrance des autres ne fait pas mal, c'est même un spectacle. Au cinéma, lorsque Jean Valjean[1] en prend plein la figure pendant deux heures, on ne souffre pas. Mais quand on est Jean Valjean, que l'on vous arrête parce que vous avez volé un petit bout de pain, là, vous comprenez ce qu'est un flic qui tabasse. Vous vivez l'injustice dans votre corps. Il y a des avantages partout. Il faut qu'il y ait des gens cultivés, il faut qu'il y ait des ignorants. Mais la culture est malgré tout un tue-bonheur. Elle vous contraint à tout analyser quand le bonheur se déguste.

Ce que j'ai appris, je l'ai appris au fur et à mesure. Un peu comme un chien de chasse qui fouinerait dans toutes les directions avant de repérer ce qu'il cherche. Chaque seconde a préparé celle d'après, chaque film a inventé le suivant. Les gosses veulent tout d'un coup. Ils attendent de nous une formule magique, mais comment leur expliquer l'inexplicable ? Comment leur exprimer que ce qui fait le charme de la vie, c'est cette aventure, cette interrogation vers laquelle l'on se dirige tous ?

1. Jean Valjean est le personnage central du roman de Victor Hugo, *Les Misérables.*

Claude Lelouch

Nelson Mandela a écrit : « Je ne perds jamais. Soit je gagne, soit j'apprends. » C'est peut-être l'une des plus belles phrases qui soient, j'aurais vraiment aimé la formuler. Elle résume précisément ma façon de vivre : chaque fois qu'un film n'a pas marché, j'ai effectivement pensé redoubler une classe. Il faut le dire aux enfants : gagner est formidable, apprendre l'est tout autant.

Femme(s)

« L'adultère est un sport de haut niveau réservé à des funambules. »
« L'amour est devenu un truc de voyou. »

LA femme, les femmes, voilà un sujet que l'on ne peut aborder sans parler de la relation homme-femme…

La première femme que j'ai aimée, c'est ma mère. Je devais avoir quatre ou cinq ans quand on m'a demandé qui je voudrais épouser plus tard. J'ai répondu ma mère, évidemment. Aucune femme ne pouvait rivaliser avec elle. Je n'avais pas encore la révélation de la libido et de l'attirance sexuelle, je n'étais pas encore un animal. Elle la première m'a enseigné ce qu'était une femme.

Plus tard, j'ai très vite saisi que j'étais plus heureux quand je parlais avec des filles. Dans la cour de récréation, tout ce que je faisais, c'était pour les impressionner. Je percevais en elles des parfums de vérité que je ne discernais pas chez mes copains. Eux étaient lâches, menteurs, ils avaient tous les défauts de la terre. Elles étaient un peu moins menteuses, un peu moins tricheuses, plus dans l'exigence et dans la recherche de perfection. C'est ce qui a commencé à m'attirer vers elles. Davantage que la sexualité. Ensuite, évidemment, le sexe a joué un rôle très important. J'avais envie de prendre des femmes dans mes bras, pas des garçons.

J'ai grandi avec les femmes, admiratif de constater qu'elles étaient des hommes réussis. Elles faisaient tout comme nous, souvent en mieux. J'ai d'ailleurs autour de moi davantage de collaboratrices que de collaborateurs. Lorsque je confie une tâche à une femme, je suis plus tranquille, je sais qu'elle va aller au bout, tandis qu'un homme…

II y a plus de Judas chez les hommes que chez les femmes. Les amis par exemple. Pour la plupart d'entre eux, ce sont des Judas en préparation. Les femmes ne deviennent jamais des Judas. Elles vous lâchent. Elles tranchent, elles coupent, certaines sont même des tueuses…

L'événement majeur auquel j'ai eu la chance d'assister pendant ces soixante-dix-huit ans, c'est la prise de pouvoir des femmes.

Je suis né en 1937, avant la guerre, à l'époque des machos. Mon père en était un vrai. Il disait toujours qu'il fallait l'être, que les femmes ne trompaient pas les machos.

Avant de le rencontrer, ma mère avait un métier, elle travaillait comme petite main chez Lanvin ou chez Chanel, je ne sais plus. Lorsque mon père lui a dit : « Je te prends en charge, tu ne travailles plus, c'est à moi de le faire. Maintenant, tu t'occupes de Coco et de la maison », elle a accepté, très fière de la situation – toutes ses copines travaillaient, c'était comme un bâton de maréchal.

Dès cet instant, elle a eu beaucoup de temps pour être jalouse. Et la jalousie est malgré tout le talon d'Achille des femmes. Elle voyait des maîtresses partout, elle a accablé mon père toute sa vie. Je ne pense pourtant pas qu'il en ait eu trop… En tout cas, je n'ai jamais rien vu, il a été très fort, beaucoup plus fort que moi !

Tout ce qui est interdit est formidable, mais l'adultère est un sport de haut niveau réservé à des funambules. Il faut vraiment être très fort, surtout lorsque l'on n'a pas de mémoire… Moi, j'ai été lamentable. Je me contredisais, je me faisais piquer chaque fois. Toutes mes petites trahisons ont immédiatement été sanctionnées. Aujourd'hui, le monde a changé, ce qui vous trahit le plus est cet engin qui met à votre disposition un nombre incroyable d'individus dans un rayon de deux cents mètres. Pour des fainéants, le portable et ses applications qui permettent de dénicher l'âme sœur, c'est tentant.

Chez mes parents, j'ai assisté à des drames, des scènes de ménage colossales. Ils s'engueulaient, ils se tuaient presque, mais, après ces scènes de ménage, de fantastiques retrouvailles fleurissaient. Les gens ont besoin de se séparer pour se retrouver. Ce n'est pas innocent les disputes dans un couple, cela permet de tester, de vérifier certaines choses, avec tout le risque que cela représente. Certains conflits peuvent toutefois très mal se terminer, il y a effectivement une frontière à ne pas franchir.

De 1937 à aujourd'hui, les femmes se sont émancipées. Elles se sont d'abord battues pour l'abolition de leurs privilèges – c'était un privilège de ne pas travailler, d'être gâtées, respectées. Ma mère voyait cela comme ça, elle pouvait s'acheter ce qu'elle voulait, elle ne manquait de rien.

J'ai assisté à cette lutte abolitionniste, c'était magnifique. Je me suis dit : « Elles sont formidables. » Dans mon film *La Bonne Année*, on sent que les femmes veulent se libérer, que la société tente d'évoluer. Françoise Fabian s'affranchit des machos, elle est cultivée, indépendante, c'est l'une des premières femmes à vouloir devenir l'égale d'un homme. Mais elle tombe tout de même amoureuse d'un macho… Lino Ventura en est l'archétype.

Puis les femmes ont commencé à revendiquer de nouveaux privilèges. Elles ont été tellement déçues par les hommes, tellement trompées, tellement trahies, qu'à un moment donné elles se sont dit – leur inconscient a dû se dire : « Il faut se passer d'eux. Nous avons eu besoin d'eux lorsque leur force avait une certaine importance, à une époque où il fallait chasser, se battre contre les animaux sauvages, faire la guerre... Maintenant, nous avons le supermarché, les armes, les bombes atomiques... » La force physique a perdu de son prestige, les muscles sont devenus ringards, la tablette de chocolat, ça attire qui ? Trois photographes et c'est tout.

Aujourd'hui, les rapports hommes-femmes deviennent de plus en plus difficiles, la méfiance s'est installée. Jacques Brel disait : « Il n'y a rien qui me fasse plus peur que de rentrer dans le lit d'une femme. » Il avait raison, les femmes imposent un examen de passage à tous les coups. Tout le monde inflige des examens de passage à tout le monde, dans tous les domaines. Finalement, les critiques sont ceux qui vous dénigrent le moins : ça dure cinq lignes puis on passe à autre chose.

Les femmes prennent tout à cœur, la méfiance est un océan. Lorsque les gens se marient, c'est manifeste : ils pensent au divorce, ils font des contrats, ils se protègent. Ils n'ont plus du tout confiance. L'amour est devenu un truc de voyou.

Dans *Un+Une*[1], on ressent la défiance de Jean Dujardin à l'égard de cette femme. Que peut-il faire avec la montagne d'emmerdements qu'elle représente ? Seul le temps lui dira : « Non, elle est intéressante. »

La plupart des femmes sont rapidement déçues par les hommes. De plus en plus circonspectes, elles ont décidé de se détourner d'eux, de choisir des étalons pour faire des enfants. Dépassée, la gent masculine tremble. Elles ont tous les pouvoirs, elles tentent de dire qu'elles ne les ont pas mais ce n'est pas vrai, elles les ont toujours eus. Seulement maintenant, cela se renforce, c'est officiel. Elles avaient des pouvoirs dans l'ombre, elles ont maintenant tous les pouvoirs au soleil.

Les hommes ne l'expriment pas, mais l'exigence des femmes les terrifie. Elles ne supportent pas les fautes, leur mémoire est redoutable, elles se souviennent de tout minute par minute. Lorsqu'elles disent : « Ça va, j'ai oublié », ce n'est pas vrai. Jamais une femme n'oublie quoi que ce soit ! C'est installé là, dans sa tête comme dans un tiroir. Tout est comptabilisé en permanence tandis que les hommes flambent.

Cette mémoire colossale m'a toujours impressionné, je n'ai jamais retrouvé cette faculté ailleurs

1. Film réalisé par Claude Lelouch et sorti en 2015, avec Elsa Zylberstein et Jean Dujardin.

que dans mon ordinateur. Les femmes regardent la vie au microscope, c'est leur qualité numéro un, c'est aussi leur principal défaut. Si l'on a de la mémoire, on n'oublie rien, pas un mensonge, pas une trahison, on devient rancunier. C'est la grande différence entre les hommes et les femmes. Nous les hommes, nous n'avons pas de mémoire.

Les femmes sont très fortes, beaucoup plus que les hommes. Elles mentent peut-être moins, mais elles mentent mieux. Je ne me suis jamais aperçu qu'une femme me trompait. Si, une ou deux fois, mais cela m'arrangeait, je pensais que cela faciliterait la séparation. Lorsqu'elles ont envie que cela se sache, c'est toujours pour de bonnes raisons, pour soulager la situation, mais dans le cas contraire, vous ne voyez rien du tout. Ce sont des championnes de la mystification.

Les hommes sont de véritables enfants, des gamins qui oublient tout. Maintenant, j'en ris, mais je ne le répéterai jamais assez : les femmes sont mieux finies que les hommes, elles ont davantage de possibilités qu'eux. En outre, elles gagnent dix ans d'espérance de vie en moyenne, c'est énorme.

Il est vrai aussi que la solitude des femmes est plus compliquée. Peut-être naturelle aussi : à un moment donné, mieux vaut être seule qu'avec un type qui pourrait vous torturer l'esprit. En vieillissant, l'hommage de la rue à leur physique est moins intense, les hommes disparaissent, leur solitude est par conséquent un peu plus longue que celle des hommes. Mais elles peuvent être fidèles dans la mort. C'est ce que je raconte dans *Un homme et une femme*. Une femme peut être fidèle à un souvenir, à la nostalgie. Elles ont de la mémoire, le passé résiste d'une façon incroyable. C'est extrêmement touchant.

Les femmes sont un repère important pour les hommes. Comme elles n'apprécient pas d'être déçues, elles vous tirent vers le haut, vous obligent à être des dieux, c'est ce que j'aime chez elles. Elles adorent les héros, mais attention à la faute... D'un seul coup le brave se troque en minable ! Elles affectionnent les voyous, elles les ont toujours chéris. On ne peut lutter contre un voyou, un mec drôle ou un musicien. Ces trois-là, mieux vaut ne pas y toucher...

Ce qu'elles aiment le plus chez un homme, c'est le courage. C'est ce qui les épate le plus. Il peut les faire rire – c'est vrai pour l'accrochage – mais, après la rigolade, un type courageux, quelle qu'en soit la forme, c'est sexy. Eh bien, il faut le dire, les hommes ne sont pas courageux ! Ils sont lamentablement peureux. Pour la plupart.

Les femmes sont rassurées par la complication, elles sont intimement persuadées que tout est compliqué avant d'être simple. Leur instinct le leur a dit. Elles ont compris qu'il fallait du travail, que la gratuité n'existait pas, que tout avait un prix, qu'il soit financier, intellectuel, psychologique. Là où j'ai le mieux rencontré la gratuité, c'est lors d'une histoire d'amour. Et encore…

Les femmes me fascinent. Elles prennent tout à cœur, elles compliquent merveilleusement ce qui pourrait être simple, elles aiment la vie plus que les hommes et la dégustent davantage. C'est la raison pour laquelle elles en souffrent plus. Chaque fois qu'elles agissent, leur vie est en jeu, c'est extrêmement émouvant. Elles choisissent le chemin le plus difficile, ce sont vraiment d'incroyables petits soldats.

Et puis, lorsqu'elles se parent d'une jolie robe, qu'une très belle lumière les éclaire, l'apparition devient le plus merveilleux des spectacles, une invitation à la rêverie.

Les femmes, la vie, le cinéma… L'un est le faire-valoir de l'autre, le tout compose ce trio infernal dans lequel je me suis régalé toute ma vie.

G

Générosité

*« La vraie générosité, celle qui vient du cœur,
c'est le plus beau placement du monde. »*
*« La seule personne sur qui j'ai pu compter
depuis ma naissance, c'est moi. »*

Ce que je reconnais au genre humain, c'est l'invention de la générosité.

J'adore les animaux, esthétiquement ils sont d'une beauté incroyable, mais ils ne pensent qu'à bouffer, tuer, dormir, faire la guerre et baiser. Un ours blanc, il n'y a rien de plus beau, mais s'il vous rencontre, il vous tue. Pour mon film *Hasards ou coïncidences,* je suis parti dans le Grand Nord, une ville nommée Washington construite sur le parcours des plantigrades. Durant l'hiver, lorsque les ours ont faim, ils cassent les portes, pénètrent dans les maisons, ouvrent les frigos, se servent et mangent tout. C'est absolument incroyable ! Évidemment, les habitants se défendent, ils les chassent, mais les ours ne changent pas leur trajectoire. J'ai filmé cela. Nous avons reconstitué une maison et attendu que les ours passent.

Les animaux sont d'une cruauté effarante, c'est la loi du plus fort, le reste ne les intéresse pas. L'être humain conserve ces mêmes préoccupations, mais il a en outre inventé la paix. Il s'intéresse aux autres, prend en considération les plus faibles. Il fait montre d'intelligence, de créativité. Là, il me plaît. C'est l'animal le plus réussi, pour l'instant.

Ce qui est certain, c'est qu'il n'est pas encore au point. La preuve : si vous envoyez cent invitations à un mariage et cent invitations à un enterrement, vous obtenez plus de réponses pour l'enterrement que pour le mariage ! Plus nombreux sont ceux qui se régalent du malheur des autres que de leur bonheur. Pourquoi ? Parce que le malheur des autres nous console de notre médiocrité. À l'enterrement, vous vous dites : « J'ai de la chance. » Au mariage : « Ils sont beaux tous les deux, pourquoi n'ai-je pas droit à cela moi aussi… » L'être humain est profondément jaloux.

Quelque chose ne tourne pas rond. Convaincue que l'égoïsme est plus fort que la générosité – un radin a le sentiment de gagner plus d'argent en étant radin qu'en étant généreux, c'est plus facile à prouver –, notre intelligence n'a pas encore compris que la vraie générosité, celle qui vient du cœur, était bien plus rentable. Qu'elle était le plus beau placement du monde. Bill Gates en est un exemple. C'est un homme généreux, un homme qui pense aux autres. Eh bien, plus il s'intéresse aux autres, plus il devient riche ! C'est d'ailleurs ce qu'on lui reproche… Moi, chaque fois que j'ai eu la chance d'être généreux – pour de bonnes raisons –, j'ai toujours obtenu d'incroyables retours. La vie devenait simple. C'est fou comment Dieu vous dit merci.

L'univers est habité d'un grand projet difficile à clarifier. Un jour, un individu un peu plus doué que les autres, un peu plus observateur, un peu plus juste, un peu plus honnête, sera à même de nous expliquer ce que nous faisons sur cette terre. Dieu, c'est l'étape supérieure, Il cherche également. Pour Lui, nous ne sommes qu'un simple laboratoire d'expérimentation.

Je ne pense pas que tout soit écrit. Qu'on le veuille ou non, le monde que nous construisons s'améliore, je suis optimiste. Quand j'arrive au monde en 1937, les choses étaient bien plus difficiles qu'aujourd'hui, force est de constater qu'en soixante-dix-huit ans, elles se sont améliorées, elles ne se sont pas aggravées. Il y a toujours eu des gens qui meurent de faim, qui n'arrivent pas à se soigner, ce n'est pas un phénomène nouveau, mais on sent nettement aujourd'hui la volonté des uns et des autres de réduire la misère. La prise de conscience écologique hissée au rang des préoccupations internationales est également un signe de progrès. Nous devons maintenant sauver la planète, sans quoi notre comportement d'enfant gâté transformera le paradis en enfer. Nous ne nous en rendons même pas compte mais le paradis, nous y sommes. Jamais encore un endroit aussi beau, aussi réussi de l'univers, n'a été découvert.

J'adore le genre humain, c'est ce que l'on a le mieux réussi à ce jour. Des gens foncièrement généreux, heureux du bonheur des autres, je n'en ai pas rencontré beaucoup, mais c'est cette contradiction qui permet de ne pas s'ennuyer. Si l'on connaissait le vrai paradis, on s'y embêterait profondément. Le bonheur se nourrit des emmerdements, dès que l'on en a terrassé un, on est heureux. La vie, c'est comme le vélo : dans les côtes, on rêve de descente et sur le plat, on se lasse. C'est aussi simple que cela : nous sommes des êtres éternellement insatisfaits. Et quand on est insatisfait, on ne tient pas en place...

C'est mon cas. J'écris dans ma tête, j'observe – c'est mon métier, mon plaisir aussi – et j'essaie de partager mes observations avec le plus grand nombre, ou le plus petit, cela dépend. Je ne fais rien d'autre qu'observer. Le genre humain m'intéresse davantage que les paysages – c'est beau un paysage mais ça devient très vite barbant.

De mes voyages, ce sont les hommes et les femmes que je retiens. Les hommes et les femmes amoureux. C'est l'unique circonstance où la générosité se dégage.

La générosité, c'est une denrée rare. Nous ne pouvons compter sur personne. Albert Cohen l'exprime par une phrase terrible, d'une justesse évidente : « Chaque homme est seul et tous se fichent de tous et nos douleurs sont une île déserte[1]. »

Si je fais le point, la seule personne sur qui j'ai pu compter depuis ma naissance, c'est moi. La seule personne qui m'a sorti de la merde, c'est moi. La seule personne vraiment intéressée par mes emmerdes, c'est moi. Pleurnicher ? Non. Cela fait plaisir aux autres, ils se régalent, c'est effroyable. À un moment donné de la vie, les parents sont les seuls à constituer une très belle roue de secours. Même chez les animaux, les femelles peuvent se sacrifier pour leurs enfants, c'est d'ailleurs l'unique circonstance où animaux et humains sont dans la générosité. Mais leurs enfants, ce sont eux, leur prolongement. Ils ne font donc que continuer à se protéger…

1. Phrase extraite du récit autobiographique *Le Livre de ma mère*, paru chez Gallimard en 1954.

Claude Lelouch

L'être humain est merveilleux… et enfoiré ! Aussi enfoiré que merveilleux. Il a les qualités de ses défauts et tente de compenser ses vices par des alibis, par des dons.

Quand Coluche crée *Les Restos du cœur*, n'est-il que dans la générosité ? N'a-t-il pas au fond aussi besoin d'un peu plus de reconnaissance ? Nous sommes peut-être généreux pour de mauvaises raisons, moi le premier. Bien évidemment, cela ne m'empêche pas de penser que *Les Restos du cœur* est une idée absolument géniale et nécessaire.

H

Histoires d'amour

« Avec Annie Girardot,
nous aurions dû protéger notre amour. »
« Marlène Dietrich a couché avec tout Hollywood,
y compris avec Gabin. »

J'adore les rencontres, elles sont essentielles. Les rencontres et les fins. Ces fameux premiers et derniers jours qui encadrent une histoire d'amour, qui permettent de faire les comptes : ai-je gagné du temps ? En ai-je perdu ? L'histoire était-elle utile ou non ?

Lorsque débute une histoire d'amour, on ne sait jamais s'il s'agira d'une récompense ou d'une punition. Une récompense parce que l'on découvre une personne complémentaire qui sait faire ce que l'on est incapable de réaliser. Lorsque l'on se met à deux, on s'associe pour des plus, pas pour des moins. Pour aller plus vite, plus loin, sûrement pas pour freiner. Quelques points communs suffisent pour se dire bonjour, ensuite la complémentarité est fondamentale. Mettre en route une association, une coproduction, ce n'est pas innocent. Cela peut très mal se terminer, évoluer en véritable punition. La plupart des divorces sont des cauchemars…

Au départ, c'est la récompense suprême, l'Oscar des Oscars, la Palme d'or des Palmes d'or. Il n'y a rien de plus beau que ce fameux moment où, d'un seul coup, on est amoureux de quelqu'un d'autre plus que de soi-même. On bascule de l'égoïsme à la générosité, l'être humain devient sublime.

Sauf que cela peut très vite dégénérer… C'est risqué une histoire d'amour, c'est dangereux, mais c'est ce qui donne un sens à la vie. J'adore filmer le pourquoi deux personnes ont envie d'aller dans un lit et pourquoi elles n'ont plus envie d'y aller. Dans la vie, on ne cherche qu'à aimer ou à être aimé, le reste n'est que lot de consolation. L'essentiel, c'est de rencontrer quelqu'un qui nous permette de démultiplier nos possibilités. L'amour procure des forces insoupçonnées, il faut épater l'autre, le rendre admiratif. Ça tire vers le haut mais ça peut vite être fatigant. Et dès que l'on s'installe dans les habitudes, alors là, c'est la descente aux enfers.

L'amour n'aime pas l'habitude, nombreux sont ceux qui confondent amour et confort. Le confort, ça permet de bien dormir, de bien manger, d'avoir tous les accessoires sous la main... Parfois, il y a des miracles, des individus qui arrivent effectivement à maintenir une histoire d'amour, à vivre à deux un peu plus longtemps que les autres. Je pense qu'ils ne se font pas d'illusions, qu'à un moment donné ils ont eu l'intime conviction d'avoir été bien servis. Là, je suis très admiratif.

Les histoires d'amour, c'est comme les voitures : il y en a qui consomment très peu et d'autres qui consomment beaucoup. Moi, je consomme beaucoup, et très vite.

Ce qui est merveilleux, c'est qu'il n'y a pas de règles. J'ai vraiment croisé des gens qui se sont aimés toute leur vie. En tant qu'observateur-reporter, j'ai essayé de comprendre. Le résultat, c'est que leurs histoires sont bien moins passionnantes que les histoires qui durent très peu. Les grandes histoires d'amour sont les plus courtes. Celles qui flambent, celles qui débordent de passion. Les gens du spectacle ont des histoires éphémères parce qu'ils vivent un feu d'artifice en permanence, ils consomment le plein en huit jours. Un à deux ans plus tard, ils ont fait le tour de la question. Qui a raison ? Je suis incapable de le dire. Le monde est fait pour que chacun de nous trouve ce qu'il recherche.

Moi, j'ai toujours privilégié la passion. Chaque fois que j'ai rencontré une femme, c'était comme si je faisais l'amour pour la première fois.

Je me souviens parfaitement de ma première fois, celle-là on s'en souvient. C'était une prostituée. Tout môme, j'habitais avec mes parents dans un des quartiers vivants de la capitale, entre le boulevard de Strasbourg où nous habitions et la rue du Faubourg-Saint-Denis où mon père travaillait. Souvent j'allais le chercher, nous rentrions ensemble à la maison et croisions sur le trajet nombre de dames – je ne savais pas que c'étaient des prostituées – qui s'adressaient invariablement à mon père :

« Tu viens, chéri ?

— J't'emmène, chéri ? »

Un jour, fièrement, j'ai dit à ma mère :

« Tu sais, papa, il a beaucoup de succès auprès des femmes ! »

Ma mère a souri. Elle m'a expliqué que c'étaient des dames qui faisaient cela pour gagner de l'argent.

Les prostituées, je connaissais donc. La première fois que j'ai été en voir une, c'était un peu comme d'aller voir un professeur. Je me suis offert un cours particulier, cela se faisait beaucoup à l'époque. Elle a été adorable avec moi. J'étais un amateur, je l'ai plutôt fait sourire qu'autre chose mais elle avait tout de même très peur : j'étais mineur, elle n'avait pas le droit de m'accueillir.

Effectivement, quand on commence par une prostituée, on tombe de haut. Parce que ça va très vite. Elle n'a pas de temps à perdre, l'amour devient un télégramme. Évidemment, je ne suis pas idiot, j'ai très vite compris, j'ai su faire la différence. Par la suite, je suis retourné voir des prostituées. Ce sont des femmes passionnantes qui m'ont toujours ému. Il faut aimer l'argent pour se prostituer, mais pas seulement. Quand on fait cadeau de son corps, il faut une dose de générosité colossale. Surtout dans les pires conditions.

Je les ai souvent fait parler pour des scénarios. Elles sont de deux sortes. Celles qui font ça parce qu'elles aiment malgré tout le sexe – ce ne sont pas les plus nombreuses – et celles qui le font pour se venger des mecs. Un jour, l'une d'entre elles m'a dit :

« Je suis devenue prostituée parce que j'aimais un mec à la folie. Mais il s'est tellement moqué de moi que chaque fois que je couche avec un mec, je me venge de tous les mecs. C'est une revanche. »

Il y a mille et une raisons pour se prostituer et j'ai beaucoup de tendresse pour ces femmes qui font le pire des métiers. Il faut y aller, par tous les temps, affronter les maladies, les connards. Cela demande un courage terrible. Elles sont un paradoxe incroyable de la femme.

Ma première histoire d'amour ? Je devais avoir dix-huit ans. Depuis, je n'ai pas été célibataire une seule seconde. J'ai opéré une sorte de fondu enchaîné, avec ce phénomène d'usure propre à tous les couples. J'ai trop le goût de l'aventure, l'appétit de la nouveauté pour supporter de vivre ce cancer de la vie que sont les habitudes au quotidien. Il me semble que je consomme un peu plus les émotions de l'amour qu'un autre, comme les acteurs. Eux aussi ont davantage besoin d'amour. Ils cassent leurs jouets comme tous les enfants – une histoire d'amour, c'est un jouet –, mais ils les cassent un peu plus vite. Les femmes entretiennent, elles les détruisent moins rapidement. Dès qu'elles ont des enfants, leur besoin d'amour se répartit.

Les femmes que je fréquente le plus, ce sont les comédiennes. Par facilité. C'est en partie la raison pour laquelle j'en ai changé si souvent : elles s'usent plus vite que les autres, ce ne sont pas des femmes normales. À très haut niveau, elles font un métier qui ne se partage pas. Qui prend tellement de place qu'il est très difficile pour elles de s'occuper d'un homme et d'un enfant. Sans compter qu'elles ont des amants en masse : le public. Quand une salle de cinq cents ou mille personnes vous applaudit, ce sont cinq cents ou mille personnes qui vous disent « Je t'aime ». C'est cela applaudir, c'est une déclaration d'amour. Elles sont sollicitées par le public, par les autres acteurs, chaque film est un nouvel amant, une nouvelle histoire d'amour. Elles ont tellement d'amants que lorsque vous arrivez dans leur vie, vous devez lutter contre toutes ces personnes extrêmement vivantes. Impossible de devenir le centre de leur existence. Des comédiennes comme Marilyn Monroe, Marlène Dietrich ou Rita Hayworth ont eu la terre entière à leurs pieds. Pour elles, le choix devient chimérique, trop de cadeaux tue le cadeau. C'est ce qui fait qu'elles se suicident. Comment, aimées de la terre entière, peuvent-elles réussir à trouver un mec ? Aucun homme ne peut rivaliser avec des millions de spectateurs...

Mes histoires d'amour sont répétitives, cela se passe toujours de la même façon. On fait le film, c'est le nirvana, le paradis. Le film se termine, on se quitte, on change de famille. Je fais un nouveau casting, elles font un nouveau casting. Pour une comédienne, faire un casting, c'est une façon de vous tromper. Elle change de metteur en scène, elle change de partenaires, elle change d'amour. C'est un métier terrible, je n'ai guère connu de comédiens heureux dans la vie. Surtout les grands. Les rares que j'ai connus – des comédiens qui arrivaient à faire une séparation entre leur vie privée et leur vie professionnelle –, ils étaient mauvais.

Quand on regarde une comédienne derrière la caméra, on la scrute au microscope. On se dit : « Qu'est-ce qu'elle est belle ! Quel sourire ! » On la voit dans les meilleures conditions possible, livrée sur un plateau après l'habillage et le maquillage, tous les projecteurs de la terre braqués sur elle. C'est un modèle fini absolument parfait... mais c'est un trucage ! Si l'on passe une nuit avec elle, le lendemain matin il n'y a plus de projecteurs, elle n'a plus le texte, elle n'est plus nourrie par l'intelligence des auteurs, la chute est d'autant plus grande. Dans le quotidien, elle perd quinze points.

J'aime les comédiennes parce qu'elles souffrent. Tous les métiers nécessitent des sacrifices, mais là, c'est du 100 %, elles font cadeau de leur vie au public. Le nombre de suicides de comédiennes est d'ailleurs impressionnant, preuve qu'à un moment donné, le meilleur se transforme en pire. C'est ce qui arrive quand une comédienne n'est plus désirée par les metteurs en scène ou par le public. Pour elle, c'est la fin du monde. Elle a fait un succès, tout le monde la désirait, et puis elle fait un bide, et là, c'est fini. Elle se fait rejeter, on la met à la poubelle alors qu'elle n'a pratiquement pas changé.

J'ai connu Annie Girardot. C'est ce qu'elle a vécu plusieurs fois, en ayant la chance de pouvoir rebondir. Elle aussi avait un besoin impérieux d'histoires d'amour. Quatre fois, j'ai été la chercher au fond du trou. C'est avec elle, en vivant mon histoire de metteur en scène et d'amant, que j'ai compris ce métier, à quel point c'était le plus merveilleux, le plus difficile, le plus cruel aussi.

Je l'ai rencontrée en tant que stagiaire sur *L'Homme aux clés d'or*. Elle sortait de la Comédie-Française, c'était son premier film, elle m'avait beaucoup impressionné. Quelques années plus tard, quand je fais *Vivre pour vivre*[1], je repense à elle.

Au départ, c'est Jeanne Moreau que je voulais pour le rôle. Une actrice que j'admire, la star de l'époque. Avec Montand, c'était une affiche, d'autant plus que Montand ne sortait pas de grands succès. Je rencontre donc Jeanne Moreau, je lui raconte le scénario du film, l'histoire d'une femme trompée par Montand.

« Montand, ce connard, il ne peut pas me faire cocue ! »

Elle devait être jalouse de Simone Signoret, enfin, je ne sais pas, toujours est-il qu'il y avait un contentieux entre elles.

Elle ajoute, d'un air de dire « On ne fait pas cocue Jeanne Moreau » :

« Personne ne croira que Montand puisse me faire cocue. »

1. Film réalisé par Claude Lelouch et sorti en 1967, avec Annie Girardot et Yves Montand.

Exit Jeanne Moreau. Avec les Artistes Associés[1] qui produisaient le film, nous nous mettons en quête d'une autre vedette. Aucune ne nous plaisait beaucoup. D'un seul coup, je leur dis :

« Il faut vraiment une bonne comédienne. Pas une tête d'affiche, mais vraiment une bonne comédienne : Girardot.

— Non, non, non. Tout sauf Girardot ! Elle n'a plus rien fait. Elle ne fait que des films qui ne marchent pas. »

Producteurs et distributeurs n'en voulaient pas. Elle était au fond du trou, mariée en Italie à l'acteur de série B Renato Salvatori, qui la trompait à tour de bras. En France, on l'avait oubliée. Elle avait bien tourné quelques films de série B avec son mari, mais c'étaient des bides. Heureusement, je sortais d'un immense succès. J'avais la Palme d'or, les Oscars, j'imposais ce que je voulais :

« On tente le coup. On va faire un essai avec Montand et une dizaine de comédiennes. »

Quand Annie arrive en France, je vois bien qu'elle ne se souvient pas de moi – un stagiaire, on ne s'en souvient pas. Moi, je me souviens très bien d'elle et de Pierre Fresnay. En compagnie d'une

1. Filiale française de United Artists, société de distribution puis de production américaine fondée en 1919 par quatre pionniers de Hollywood : Charlie Chaplin, Douglas Fairbanks, Mary Pickford et D.W. Griffith.

dizaine de comédiennes dont je tairai les noms par respect, je lui fais passer les essais. Tout le monde est subjugué par Girardot. C'était une évidence, elle était la meilleure.

Nous tournons *Vivre pour vivre*, elle se révèle supérieure à Montand, étouffante de présence en femme humiliée, écrasée, qui se bat avec force pour la vie.

Évidemment, pendant le tournage, je tombe amoureux de l'actrice, de la femme. Elle, elle tombe amoureuse du metteur en scène. Bref, nous tombons amoureux l'un de l'autre.

Il y a mille et une raisons qui font que nous allons bien ensemble. Cette femme qui se bat avec ce mari qui la trompe en Italie, qui fait des allers-retours incessants en avion, c'est un petit soldat incroyable. Et puis nous sommes obligés de nous cacher, de nous planquer, je suis avec quelqu'un, elle est mariée... Nous vivons une vie d'aventuriers, c'est magnifique, il n'y a rien de plus beau, on se croirait dans un film de Lelouch !

Les moments où l'on se retrouve sont forts, intenses, dans une heure ou deux elle repartira en Italie... Nous jouissons de notre histoire tellement passionnément que nous nous mettons en danger, que nous nous faisons du mal. Si bien que pendant le tournage suivant, celui d'*Un homme qui me plaît*[1],

1. Film réalisé par Claude Lelouch et sorti en 1969, avec Annie Girardot et Jean-Paul Belmondo.

nous nous séparons. Il est plus facile de se séparer pendant un film, on se sépare sans se quitter vraiment…

Annie a poursuivi sa carrière de star, puis elle a replongé. Annie voulait faire plaisir. Elle disait oui à tout le monde, elle ne savait pas dire non, et quand on ne sait pas dire non, on a trois fois plus de difficultés que les autres. Elle a dit oui à des films auxquels elle aurait dû dire non, des films qui l'ont tirée vers le bas. Elle ne savait pas gérer, elle était tout sauf organisée, elle n'avait pas de plan de carrière. Il n'y avait vraiment chez elle aucune malice.

J'ai vu la force de cette femme dont la vie était un désordre absolument incroyable. Elle était constamment à la merci des vagues, de la tempête, du mauvais temps. Elle a connu toutes les météos. Quand elle est retombée en bas, je suis allé la rechercher. Une deuxième fois pour *Partir, revenir*[1]. Une troisième pour *Il y a des jours et des lunes*[2]. Une quatrième pour *Les Misérables*[3].

1. Film réalisé par Claude Lelouch et sorti en 1985, avec Annie Girardot, Jean-Louis Trintignant et Michel Piccoli.

2. Film réalisé par Claude Lelouch et sorti en 1990, avec Annie Girardot, Gérard Lanvin et Patrick Chesnais.

3. Film réalisé par Claude Lelouch et sorti en 1994. Il offrit à Annie Girardot un César de la meilleure actrice dans un second rôle qui donna lieu à l'un des discours de remerciement les plus célèbres de l'histoire des Césars.

Chaque fois, j'ai réussi à filmer son talent, et le film a marché. J'avais pour elle beaucoup de tendresse, notre amour s'était transformé en admiration et en amitié. Tous deux avions le sentiment que notre histoire avait été plus importante que prévu. Avec le temps qui passe, nous nous étions dit que nous aurions dû faire un effort, que nous aurions dû protéger notre amour...

Par la suite, avec d'autres comédiennes, j'ai pu vérifier ce que j'avais vécu avec Annie Girardot. Les choses ne faisaient que se répéter d'une façon plus ou moins intense. Toutes recherchaient une histoire d'amour, plus encore que les autres femmes. Si l'on regarde un peu dans l'histoire du cinéma, Marlène Dietrich par exemple a couché avec tout Hollywood, y compris avec Gabin. Elle a essayé tous les hommes de la terre, mais ce qu'elle recherchait sûrement, c'était une histoire d'amour.

Les comédiens et les comédiennes sont encore plus demandeurs d'amour que les autres, aucun partenaire ne peut rivaliser avec le public qui leur voue une ferveur colossale. Quand vous êtes une star, la terre entière vous adore. Comment lutter ? C'est très difficile.

On rencontre également des bourgeoises de l'amour. Là, c'est le confort – la roue de secours de l'amour – qui prime et rien n'est plus inconfortable pour moi. J'ai le sentiment de me trahir, de ne pas répondre à mes désirs, à mon amour de la vie. Ce que j'aime, c'est la passion. Parce que l'on est à fond. Si j'ai une voiture, ce n'est pas pour rouler à vingt à l'heure, c'est pour rouler à trois cents, sinon je fais du vélo.

Il m'est toutefois arrivé de rencontrer des femmes qui n'étaient pas des actrices. C'étaient des parenthèses, ce n'était pas aussi flamboyant. Quand vous fréquentez une actrice, c'est éblouissant. Après, évidemment, c'est le désastre, mais lorsque l'on a touché aux drogues fortes, il est très difficile ensuite de se contenter d'un petit pétard...

Le cinéma est une drogue qui n'a pas d'effets secondaires négatifs. Il fait rêver et, comme dirait mon philosophe préféré Grégoire Lacroix[1], je n'ai jamais vu personne mourir d'une overdose de rêves. Quand je fais *Un homme et une femme*, je veux montrer qu'il est très difficile de retomber amoureux quand on a été passionné. Que l'on ne peut aimer plusieurs personnes que si l'on n'est plus amoureux de la précédente. Quand Anouk perd son mari cascadeur, elle en est follement éprise. Il ne peut donc plus la décevoir, il reste au sommet. S'il avait continué à vivre, peut-être serait-il devenu un vieux con, peut-être l'aurait-il trahie, trompée...

1. Écrivain, journaliste et poète français né en 1933. Il est aussi auteur de chansons et membre de l'Académie Alphonse-Allais.

Elle n'aurait alors eu aucune difficulté à passer à un autre. Là, elle est dans l'excellence. Un vivant n'est pas dans l'excellence, un mort, si.

La mort vous met sur un piédestal, elle joue un rôle important dans les histoires d'amour. Dans un couple, il y en a toujours un qui part le premier, l'homme en général. La mort est supportable parce qu'après cinquante ans vécus avec un type qui l'horripile, la veuve est presque contente de l'accompagner au cimetière. La mort lui rend de grands services, elle la débarrasse d'un compagnon dont elle ne savait comment se libérer. S'il ne rentrait pas… si je pouvais l'empoisonner… Tout le monde a pensé cela une fois dans sa vie. La veuve pleure, c'est son jour de gloire, mais au fond d'elle-même, une nouvelle vie commence. Ne nous racontons pas d'histoires, il y a plus de veuves joyeuses que de veuves tristes. C'est cela le genre humain, c'est cruel mais assez sain finalement. Quand je dis que l'on est fidèle tant que l'on n'a pas trouvé mieux, c'est vrai. C'est vrai dans tous les domaines. Pour une bagnole, pour un frigo, pour une femme…

Je ne suis pas pessimiste mais il est de plus en plus difficile de trouver l'Autre dans une période où l'on s'imagine que les sites de rencontres facilitent les histoires d'amour. Les utilisateurs ne sont-ils pas parvenus à séduire quiconque naturellement ou bien ne se sont-ils intéressés à personne ? Tous ces sites sont suspects. En fait, ces sites sont des soldes. Or les soldes n'ont jamais aussi bien marché...

Mon père disait toujours : « Il faut se méfier de tout ce qui est à vendre. Dès qu'un truc est à vendre, ce n'est pas bon signe, c'est que l'on veut s'en débarrasser. »

Quand vous êtes sur le marché, vous n'êtes plus coté. Pour mille et une raisons. L'excellence, elle, n'est jamais à vendre. L'excellence est prise. Les filles intéressantes, elles sont prises. Les garçons intéressants, ils sont pris. Il faut donc aller les voler, les choper. Mieux vaut acheter tout ce qui n'est pas à vendre, quitte à surpayer.

Aujourd'hui on essaie tout – le libertinage n'a jamais été aussi puissant –, mais on achète moins et moins souvent qu'avant, la location a plus de succès que l'achat.

Autrefois, lorsque l'on se mariait, on achetait. L'amour est exigeant, il demande un engagement, du travail. Maintenant, il devient un bijou rare réservé à des gens courageux et honnêtes. Une histoire d'amour ne peut se construire que si l'on se sent libre, c'est l'apologie de la liberté. Vivre à deux comme si l'on était célibataire, voilà le secret de la longévité. Les parenthèses, les soirées arrosées, les réunions libertines, c'est autre chose. Elles ont toujours eu beaucoup de succès mais ce ne sont que des périodes d'échauffement, des périodes d'essai. De l'exercice physique au même titre qu'un jogging – on peut toujours essayer une voiture, on n'est pas obligé de l'acheter.

Lorsque l'on a l'intime conviction que l'on va vous dire stop, que l'on est limité dans le temps, on devient plus exigeant, on veut profiter un peu plus. J'ai voulu profiter de la vie un peu plus que les autres, en sachant que l'on pouvait me dire stop à tout moment si je franchissais la limite. C'est un peu le cinéma que je pratique : tant que l'on croit à l'histoire, on peut y aller. Mais où réside la frontière à ne pas franchir ?

Je suis un homme heureux, peut-être un peu plus que les autres. Pourquoi ? Parce que je n'ai pas de mémoire. Je suis né avec Alzheimer, c'est ma grande chance. Si un jour on me dit que j'ai la maladie, ce ne sera pas trop grave. Ma seule mémoire, c'est celle du présent, du film que je suis en train de faire, en aucun cas des anciens. Je n'ai pas la mémoire de la façon dont je faisais l'amour avec chaque femme. J'oublie.

C'est une chance folle, la plus belle chance de ma vie : faire l'amour pour la première fois chaque fois…

I

Intime conviction

« Le mensonge m'a permis d'aller
au secours de tous mes handicaps. »

Papa a dit avant de partir... Pourquoi accorde-t-on tant d'importance aux ultimes paroles d'un individu ? Pourquoi applique-t-on son héritage à la lettre, comme s'il disait moins d'imbécillités qu'avant ? Dieu sait si j'ai connu des crétins qui ont émis des âneries toute leur vie... Mais au dernier moment : ah, il a dit ça...

Impossible de ne pas s'accrocher aux derniers mots d'un vivant comme s'ils étaient le résultat de sa comptabilité personnelle, de son voyage dans la vie. Un moment de vérité finale, le résultat de toutes les synthèses, de toutes les analyses. En fait, son intime conviction. Ce qu'il reste en chacun de nous quand on a tout entendu, tout vécu.

Je me souviens très bien des dernières paroles de ma mère. De mon père, je revois ses yeux. Il est mort d'une crise cardiaque dans mes bras, il savait qu'il y allait, mais il n'a pas eu le temps de s'exprimer. J'ai senti qu'il me disait au revoir, qu'il avait confiance en moi. Ses yeux me signifiaient : « Allez, à toi. » J'ai franchement perçu cet encouragement.

Pour certains, c'est le médecin qui leur dit : « Vous savez, vous n'en avez plus que pour quelques mois. Il serait raisonnable que vous fassiez votre testament. » Ces personnes-là ont le temps de transmettre un tas de choses, en général leur intime conviction. D'un seul coup, elles ne trichent plus. Quand on se rapproche de la mort, que l'examen de passage arrive, on ne peut plus tricher au risque de se faire taper sur les doigts.

L'intime conviction, c'est encore, au-delà des preuves, au-delà de l'évidence, ce que demande un président dans une cour d'assises après avoir écouté les discours des uns et des autres : « On vous a apporté des preuves, pas de preuves, vous avez écouté les uns, les autres, les gens qui l'aiment, les gens qui ne l'aiment pas... maintenant, quelle est votre intime conviction ? » Comme si l'intime conviction était plus importante que les preuves, que la question se posait à notre inconscient et non à notre intelligence. La justice est cruelle, elle est terrible, on ne sait ce qui est juste ou injuste, mais on a l'intime conviction que... Est-ce ou non une empoisonneuse ? Je me dis : « C'est vrai qu'en la regardant dans les yeux... » L'empoisonneuse peut bien dire : « Oui, je les ai empoisonnés », mon intime conviction me porte à penser que finalement, elle a bien fait de le faire, moi aussi je l'aurais fait... Elle a tué des salopards, elle n'est donc pas coupable. Elle ne l'aurait été que si elle avait tué un brave type ou un type qui paraissait formidable...

Ce moment qui marie le couple infernal que constituent l'intelligence et l'inconscient, je l'aime bien. Le rationnel fonctionne dans le résultat à court terme, il a le sens des affaires, il ne fait pas de cadeaux. L'irrationnel, c'est notre part d'éternité. Il ne croit pas à la mort – seule notre intelligence y croit. Il est généreux, c'est un poète. L'intime conviction, c'est ce moment où rationnel et irrationnel discutent enfin, se mettent d'accord – ou pas – sur un point de vue, une décision à prendre. C'est une sorte de passoire, de tamis, qui nous permet à un moment donné de dire moins de stupidités que d'habitude.

Souvent, portés par notre fureur intérieure, nous formulons spontanément n'importe quoi, juste pour avoir l'air de dire quelque chose, pour occuper le terrain. Mais la colère n'est pas innocente. Il y a de l'urgence en elle, comme il y en a chez un boxeur qui vient de prendre un coup et se retrouve au tapis : « Maintenant il faut que j'y aille, on n'a plus le temps de discuter… »

Ce que l'on dit en colère est sûrement vrai. Même s'il est un peu monstrueux, l'emportement reflète certainement notre intime conviction. Il est le résultat d'une digestion. C'est ce que j'aime filmer : des temps forts de la vie dans lesquels la tricherie est difficile, voire impossible. Des moments de vérité.

Cette vérité, comme tous les grands menteurs je l'ai cherchée toute ma vie. Le mensonge m'a permis d'aller au secours de tous mes handicaps, mais il ne m'a pas fait de cadeaux, comme un prêt à la banque il m'a fallu le rembourser. Et les intérêts sont costauds ! Le mensonge peut débloquer des situations infernales, toutefois ce n'est pas un prêt à long terme. Il ne vous dit pas : « Tu me rembourseras dans vingt ans. » Non, il est fragile, périssable, il ne résiste pas au temps. C'est fou la vitesse à laquelle un mensonge perd de sa force ! Il est fort au moment où vous le lâchez, puis le temps le rattrape à une vitesse absolument incroyable. C'est à ce moment-là qu'il faut le rembourser.

J'ai menti à des producteurs, à des femmes aussi. C'est même à elles que j'ai le plus menti… Le nombre de fois où je rentrais d'un coin où je n'aurais pas dû aller, où je racontais que j'avais passé la soirée avec un copain…

J'ai menti comme tout le monde, pour cacher mes jardins secrets, ma face noire. Ça, c'est le mensonge vulgaire, le mensonge à la portée de tous les débutants. Qui est parfait ? Je ne connais personne d'exemplaire. Ensuite, évidemment, on peut devenir un champion du mensonge, un expert, un artiste, mais là, il faut avoir une mémoire colossale, ce n'est pas mon cas. Moi, je reste un menteur de petit niveau, un menteur bas de gamme : je ne me souviens de rien. Une chose est certaine, sans le mensonge, je n'aurais jamais pu construire ce que j'ai construit. J'en avais besoin, je n'avais pas les moyens de m'en passer. Mais les remboursements ont été des impôts sur la vie colossaux, je dirais même plus : des contrôles fiscaux.

En vieillissant, quand on connaît le prix du mensonge, on l'utilise de moins en moins. Ce qui m'intéresse maintenant, en fin de course, c'est la vérité. Certes, elle n'est souvent qu'un mensonge qui se dégonfle au dernier moment, certes, elle est agaçante, elle a toujours raison, mais elle gagne tout le temps, dans toutes les catégories, dans tous les domaines. Il suffit d'être solide. Et comme toute vérité n'est pas bonne à dire, elle fait par conséquent souffrir. Elle n'est agréable que dans sa phase finale, quand on franchit la ligne d'arrivée…

C'est le sujet que je dois aborder maintenant, la matière de mon prochain film.

Chacun sa vie et son intime conviction – son titre provisoire –, c'est *Les Uns et les Autres* en province. En province, tout le monde se connaît sans se connaître, c'est plus facile. J'ai vingt-quatre personnages importants, vingt-quatre secondaires, une cinquantaine de rôles, une cinquantaine de personnages. Pour m'amuser, pour que la compétition reste ouverte, je donne vingt-cinq rôles à des stars et vingt-cinq rôles à des inconnus. Pourquoi ces chiffres ? Parce qu'il y a sept milliards de personnes sur Terre réparties en douze familles, les douze signes du zodiaque. Ces signes du zodiaque déterminés par les astres et des calculs logiques réalisent pour l'instant la meilleure analyse de la répartition des caractères des douze genres humains, hommes et femmes. C'est un classement formidable. Je traite chaque signe séparément – les vingt-quatre personnages importants – à travers douze histoires, puis je les réunis dans la treizième. Et c'est vrai que lorsque ces douze signes s'associent – douze caractères bien trempés –, cela produit un véritable tremblement de terre !

Ce sera un film à sketches, une comédie à la manière des *Monstres*[1], douze histoires qui me paraissent démonstratives des contradictions de notre intime conviction. Ce devrait être drôle, et

1. *Les Monstres* (*I Mostri*) est un film à sketches du réalisateur italien Dino Risi sorti en 1963.

cruel. Tous les personnages vivent leurs histoires indépendamment, on les retrouve ensemble dans la dernière scène, au tribunal. Là, on les connaît tous. On connaît leurs défauts, leurs qualités, on sait ce qu'ils valent. On sait ce que vaut le président, on connaît son histoire. On sait ce que vaut l'avocat général, l'accusé, son avocat, les jurés, le public… On sait tout, tout, tout, et l'on va s'apercevoir que celui qui trône dans le box des accusés n'est pas forcément le plus coupable, d'autres pourraient y être…

Être appelés comme jurés dans une cour d'assises, tous nous pouvons l'être. Il suffit d'être majeur et d'avoir un casier judiciaire vierge. Ce que je veux montrer, c'est que nous avons peut-être un casier judiciaire vierge pour la justice mais pas nécessairement vis-à-vis de nous-mêmes. Que ce casier invisible, nous tous en avons un. De quel droit se permet-on alors de juger les autres ? De quel droit un juge, des jurés disent-ils : « Cet homme mérite dix ans, vingt ans ? » Au nom de quoi ? Qui détient la vérité ? Voilà des questions passionnantes, des questions qui me fascinent. J'aurais adoré être juré aux assises. J'ai tout de même assisté à quelques procès : c'est le cœur de la vie. On y voit la force de la justice et de l'injustice, il n'y a rien de plus terrible. C'est un sujet vraiment important, qui pourrait être indigeste si je ne le traitais en comédie, en m'inspirant de mes observations.

J'avais une copine mariée qui m'a raconté son histoire. Il y a quelques années, après un voyage de quelques jours, elle rentre chez elle plus tôt que prévu, avec vingt-quatre heures d'avance. Et là… Elle découvre son mari sous la douche avec un mec. Résultat : elle a été incapable de parler pendant deux jours ! Que pouvait-elle lui dire ? Elle n'avait rien vu venir. Lui, que pouvait-il expliquer ? Il était toujours amoureux d'elle. On est au cœur du problème, face à son intime conviction. La décision que l'on va prendre, c'est elle qui la prend. Ce n'est plus l'intelligence, cela va au-delà. Cette histoire est présente dans le film, avec d'autres. Le président, joué par Éric Dupond-Moretti[1] – un immense comédien –, a l'habitude d'aller aux putes. Pourquoi pas ? Mais on ne le voit plus pareil. C'est assez drôle.

Nous avons tous nos jardins secrets. Ce sont eux que je filme avant de les réunir tous à la fin. À ce moment-là, le spectateur sait, il sait tout, il a la position de Dieu. Que fait-il ensuite ? Il est bien obligé de juger… Où nous envoie-t-il ? En enfer ou au paradis ? C'est cela la vie : un tribunal, sept milliards de procès, sept milliards d'accusés. C'est un sujet passionnant à traiter parce que le

1. Avocat pénaliste français ultra-médiatique, ténor du barreau, réputé pour son nombre record d'acquittements obtenus.

jugement est le symbole du monde dans lequel nous vivons. La mort est une cour d'assises. On y vient avec ses dossiers. A-t-on droit à un avocat ? Je ne le crois pas. Je pense que ce jour-là, on se débrouille tout seul. Soit on vous fait redoubler, soit on vous renouvelle votre passeport. Peut-être aussi peut-on vous supprimer… Vous dire : « Non, on arrête tout. »

Je penche plutôt pour le renouvellement ou le redoublement. Le redoublement mérite encore une vie, même au risque de se retaper une vie pourrie. On peut avoir été un mauvais élève. En revanche, si sa vie a été bonne – et comme le pensent certaines religions –, on peut effectivement grimper d'une vie à l'autre dans les hiérarchies du bonheur.

Le bonheur, c'est le moment où les soucis se reposent. Mais il s'use rapidement parce qu'il devient vite ennuyeux. C'est le cas des vacances, le moment que je redoute le plus. Je m'allonge sur une plage, au soleil, à une température idéale, et là, c'est un cauchemar : la punition intégrale. Impossible de faire le vide – il faut être mort pour faire le vide –, je ressasse tout, je fais le bilan, je fabrique mon procès, j'ai des regrets. Je me dis : « Et flûte, il va falloir que tu paies l'addition, ces vacances coûtent cher… » Immédiatement je rebascule dans l'action, et c'est parfait. Dans le faire, je suis tellement concentré que je n'ai pas le temps de m'accuser. Je suis dans le présent à fond, presque dans le futur, et là, il ne faut pas se gourer… Au repos, je ressors des dossiers que tout le monde a oubliés, des dossiers passés de l'autre côté. Le mot vacances me terrorise. Je suis nul, mauvais, je déclenche des situations, je pourrais même faire de la provocation pour réveiller tout le monde. Là, c'est redoutable, le pire peut se produire !…

J

Jalousie

« La récompense de la récompense,
c'est la fabrication d'ennemis. »
« Il est probable que la critique
restera un de mes grands chagrins. »

Le succès réveille les jaloux, les grincheux, tous les gens qui ne supportent pas qu'à vingt-sept ans on ait droit à une Palme d'or. Si *Un homme et une femme* a changé ma vie, le film m'a aussi obligé à me battre davantage encore...

La Palme d'or ! Je vis un rêve formidable. Subitement, toutes les barrières s'effondrent, je plane sur un petit nuage... Hélas, il fallait s'y attendre, trop de succès attise la jalousie, je me retrouve très vite face à la myriade de murs que le triomphe érige en contrepartie. Comment justifier sa propre médiocrité si ce n'est en prouvant que je ne suis qu'un accident, un enfant gâté du cinéma, un homme à corriger ?

Instantanément, la critique me prend en grippe. Et notamment la bible du cinéma de l'époque, les fameux *Cahiers du cinéma*.

« Claude, il y avait une façon de filmer avant *Un homme et une femme*, il y aura une façon de filmer après *Un homme et une femme*. C'est un film révolutionnaire ! Vous êtes sûrement l'enfant de la Nouvelle Vague qui a le mieux grandi. Pour la première fois, un de nos films fait le tour du monde. J'aimerais que l'on réalise un numéro spécial dans les *Cahiers du cinéma*. »

Ce que me dit François Truffaut[1] ce jour-là me transporte de joie.

« Écoutez, François, il faut que je vous parle franchement. Tout ce que vous me dites me fait extrêmement plaisir… mais je ne suis pas un enfant de la Nouvelle Vague ! Nous ne faisons pas le même cinéma. Votre cinéma part de la littérature. Avec des mots, vous essayez de faire des images. Moi, je pars de l'image pour aller à l'image. »

Je comprends le mouvement de la Nouvelle Vague. Il a joué un rôle important. Mais à la limite, vous m'avez presque montré ce qu'il ne fallait pas faire ! Je veux être honnête avec le public. Un numéro

1. Cinéaste français, critique de cinéma de la revue *Cahiers du cinéma* et figure majeure de la Nouvelle Vague.

spécial, d'accord, mais à condition d'expliquer que je suis plutôt un enfant du cinéma passé, un enfant de Guitry, de Clouzot, de Carné, d'Audiard... Un descendant de tous ces cinéastes que vous avez massacrés. Ce sont eux qui m'ont donné envie de faire du cinéma. Un enfant de la Nouvelle Vague, sûrement pas... Vos films me font un peu chier.

Je lui parle comme ça.

« Lelouch, vous avez la grosse tête !

— Peut-être... mais je ne veux pas trahir l'idée que j'ai du cinéma. »

C'était plutôt osé.

Évidemment, François le prend assez mal. Quelques jours plus tard, un article des *Cahiers du cinéma* descend le film en flammes. Dès cet instant, je deviens la bête noire de la critique escortée de toute l'intelligentsia française, l'homme à abattre, l'escroc du cinéma, celui par qui le cinéma va mourir.

Pendant cinquante ans, le scénario se reproduit à l'identique. Dès qu'un de mes films sort, dès qu'un de mes films a du succès, un match incroyable entre le public et la critique débute. D'un côté, le public me sauve. Grâce à lui, je peux vivre de mon métier – très bien vivre même – et continuer à payer mes études de cinéma ; quand on est autodidacte, on fait des études toute sa vie.

De l'autre, la critique se déchaîne. Je symbolise le cinéma honteux. On sort les couteaux, on tente de démystifier le film, d'expliquer que c'est un film d'arnaqueur…

J'aurais très bien pu cirer les pompes des critiques en proclamant : « Vive la Nouvelle Vague, je suis avec vous. » Il est probable que j'aurais eu de très bons papiers, comme tous ceux qui les caressent dans le sens du poil. Mais j'ai simplement donné mon avis. Je n'ai même pas mené bataille.

En toute honnêteté, ce conflit m'a servi. J'ai vraiment le sentiment de m'améliorer en permanence. Avec des hauts, des bas, des fulgurances, des marches avant, des marches arrière… Si la critique et le public m'avaient mis sur un piédestal, je me serais pris pour Orson Welles ! Et on a vu ce qui est arrivé à Orson Welles… Après *Citizen Kane*, il n'a plus rien fait. Il s'est passé la même chose pour Godard. Lui aussi a été placé sur un piédestal. Tous deux se sont transformés en statues. Ils ont continué, mais ils n'ont pas fait mieux que leur premier film. Si l'on vous dit que vous êtes un génie, vous finissez par le croire, vous vous installez dans le confort et c'est terminé, vous n'êtes plus créatif. C'est terrible cette récompense qui vous enterre…

La récompense de la récompense, c'est la fabrication d'ennemis. Eux, ils vous obligent à vous battre. Et puis, ils sont fidèles. Plus fidèles que vos amis. Leur persévérance vous procure des forces colossales quand vos amis peuvent vous endormir, vous placer en apesanteur. Moi, c'est au moment où je monte sur le ring que je me sens vivant, vivant sur un champ de bataille. Aujourd'hui, avec le recul du temps, je m'aperçois que cette déclaration de guerre de l'intelligentsia a fait de moi un combattant. Sans elle, je me serais endormi, je serais mort plus vite.

Il est probable que la critique restera pourtant un de mes grands chagrins... Mais je ne désespère pas qu'elle soit un jour mon honneur ! Le temps qui passe est le seul critique qui compte. J'ai une certaine idée du cinéma, je l'ai défendue toute ma vie, aujourd'hui, elle semble reprendre le dessus. Il y a les films que l'on va voir, ceux que l'on va revoir, et je m'aperçois que mes films résistent rudement bien, que le temps me donne raison. Le clan des bonnes critiques a pris le pas sur les mauvaises, reste toutefois comme un relent nauséabond, ce noyau dur des *Cahiers du cinéma*, de *Télérama*, du *Monde*, de l'intelligentsia, qui continue à contester un cinéma qui tente de faire du cinéma.

Un+Une a reçu une super critique mais deux ou trois personnes – toujours les mêmes – n'ont pu s'empêcher de cracher comme d'habitude, avec les mêmes arguments que ceux qu'ils avaient développés pour *Un homme et une femme* ! Ils n'ont pas changé. Ces gens vous disent : « Lelouch radote. » Mais radoter, qu'est-ce que cela veut dire ? Radoter, cela veut simplement dire que l'on est de plus en plus sûr de ce que l'on dit. J'ai hésité à leur envoyer le papier qui figure dans la brochure accompagnant la 41e cérémonie des Césars que j'ai présidée. J'y écris, entre autres :

« N'est-il pas vrai que les dizaines de millions de spectateurs qui ont vu *Titanic*[1] se sont bien plus passionnés pour la relation amoureuse entre Leonardo DiCaprio et Kate Winslet que pour le sort des trois mille malheureux naufragés qui pataugeaient tragiquement dans les eaux glacées de l'Atlantique Nord ? »

Je ne suis pas un radoteur mais un révélateur de l'essentiel. Si je parle d'amour, c'est parce qu'il n'y a rien d'autre. On me le reproche, je m'en réjouis. Le sujet est magnifique, universel, éternel, donc incontournable. Tout le reste n'est que lot de consolation.

À la cérémonie des Césars, je suis monté sur le ring, cela m'a beaucoup amusé. J'ai été confronté à une salle qui ne m'aimait pas mais qui me respectait, avec autant de bonnes ondes que de mauvaises. C'est curieux, mais dans toutes les professions, dans tous les domaines d'activité, on vote en général pour les gens dont on est le moins jaloux, ceux qui font le moins d'ombre possible, qui ne sont pas des ennemis potentiels. Dès que vous êtes en état de faiblesse, dès que vous êtes sur le point de partir, là vous recueillez tous les suffrages. À un moment donné, on respecte vos cheveux blancs… Dans ces conditions, tant que je n'aurai pas de César, cela voudra dire que je suis bien vivant !

---

1. Film réalisé par James Cameron en 1997.

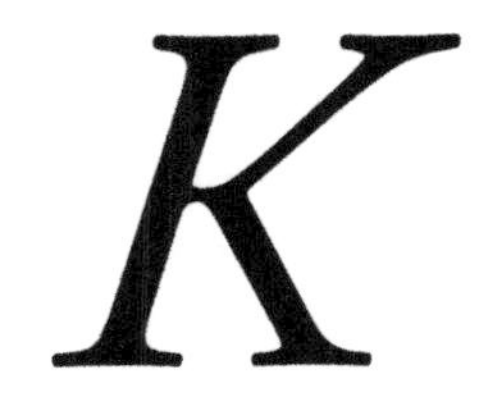

Kodak

« Demain, il est probable que nous porterons des caméras greffées dans l'œil. »
« Un jour, on pourra toucher les filles, on pourra même les renifler ! »

Pendant plus d'un siècle, Kodak a dominé le monde du cinéma et de la photographie populaire. Ce n'est pas rien. Quand apparaît dans les années 1960 la 400 ASA[1], une pellicule ultra-rapide avec beaucoup de grain – puisque rapide –, il devient subitement possible de filmer pratiquement sans lumière. C'est l'équivalent des tubes dans la peinture. Avant eux, les peintres peignaient dans des ateliers. Ils utilisaient des seaux pour le rouge,

1. Désigne la sensibilité d'un film, c'est-à-dire sa capacité à être impressionné par une quantité plus ou moins grande de lumière. Plus un film est sensible, plus l'exposition pourra être réduite. Un film 400 ASA est quatre fois plus sensible qu'un film 100 ASA.

des seaux pour le bleu... des récipients impossibles à transporter à l'extérieur. Et puis un jour, on invente une peinture prête à l'emploi dont on garnit des tubes souples fermés hermétiquement. Là, les artistes peuvent s'évader de leurs ateliers, cela donne l'impressionnisme.

L'histoire du cinéma s'invente avec les studios. Dès l'origine, le cinéma a besoin de lumière, la pellicule est très lente, il faut l'impressionner. Les premiers studios sont donc des verrières afin que le soleil puisse pénétrer. Puis on ajoute des projecteurs. Jusqu'après la guerre, les films de Marcel Carné, d'Henri-Georges Clouzot sont des films de studios.

La Nouvelle Vague, c'est l'équivalent de l'impressionnisme en peinture : le cinéma sort de ses studios, les cinéastes filment dans Paris la nuit, ils n'ont plus besoin d'autant de projecteurs.

Le cinéma, c'est un art de technologie. Quand les frères Lumière inventent le premier film, la bobine fait cinquante secondes, on ne peut pas charger plus, et l'on ne fait aucune collure[1]. On crée donc le plan-séquence – un seul plan – que l'on tourne à la main. Puis un jour, on imagine les collures et le montage. Deuxième révolution. On

1. Soudure effectuée à l'aide d'une colleuse, permettant de joindre deux plans de montage d'une pellicule cinématographique.

peut maintenant réaliser un film de dix minutes, de vingt minutes, de quatre heures. En collant quatre-vingt-dix minutes les unes après les autres, on obtient un long-métrage. Les collures bouleversent radicalement le cinéma.

Apparaît ensuite le parlant. Tant que le cinéma est muet, c'est un cinéma d'action. Les acteurs se courent les uns derrière les autres, on crée un cinéma de gags muets entrecoupés parfois de quelques cartons pour que le spectateur ne se perde pas. Avec le parlant, le cinéma s'empare du théâtre, l'invention du cinéma devient théâtrale. Les premiers films parlants causent d'ailleurs énormément, la musique y tient une place essentielle.

Puis c'est la couleur, qui permet de voyager. On fait des films pour elle, on réinvente une nouvelle écriture. Suit le cinémascope, avec son écran large qui double en largeur le A33 carré, le format de projection des frères Lumière. D'un seul coup, le champ de vision du cinéma s'apparente à celui de l'œil. On tourne *La Tunique*[1], le premier film en cinémascope, le standard de la plupart des films d'aujourd'hui.

De leur côté, les caméras sont encore extrêmement lourdes. Elles pèsent cinquante, soixante, soixante-dix kilos et enregistrent le son. Tout se fait

---

1. Film d'Henry Koster sorti en décembre 1953. Les studios de la 20th Century Fox sont à l'origine de ce changement de format qui visait à relancer l'économie du cinéma.

sur pied, jusqu'à ce que voient le jour des caméras légères pouvant se poser sur l'épaule. Le cinéma devient mouvant, beaucoup plus libre, il invente l'impressionnisme.

C'est à cette époque que voit le jour la pellicule Kodak 400 ASA. Elle a été un des éléments de la Nouvelle Vague. Aujourd'hui, il est probable que si Marcel Carné ou Jean Renoir avaient eu la 400 ASA à leur disposition, ils n'auraient pas fait les mêmes films. Ils seraient allés dehors, ils auraient fait… les films de la Nouvelle Vague !

Quand on se penche sur l'histoire du cinéma, on s'aperçoit très vite que tous les chefs-d'œuvre ont été accomplis grâce aux technologies du moment. Quand Marcel Carné fait ses films, les décors en studios sont juste incroyables, les décorateurs se déchaînent, les chefs opérateurs sont les patrons du film, ils avertissent : « J'ai besoin de trois heures pour éclairer ce plan-là, un point c'est tout. » Aujourd'hui, on leur laisse dix minutes… et s'ils prennent plus, on en change !

Suivront des micros extraordinaires, les micros-cravates, les Steadicam[1], les grues et aujourd'hui le numérique, qui permet de tourner absolument partout, sans lumière, avec de petites caméras qui vous donnent l'air de touristes. Demain, il est pro-

---

1. Système stabilisateur de prise de vues portatif qui permet la prise de vues en travellings fluides sur des terrains accidentés ou tortueux. Le système comporte un harnais, un bras articulé et une visée hors caméra.

bable que nous porterons des caméras greffées dans l'œil, que ce que voient nos yeux sera enregistré…

Quoi que l'on fasse, nos cinq sens restent malgré tout la plus belle caméra du monde. Les plus beaux objectifs, ce sont nos yeux, les plus beaux micros, nos oreilles, la plus belle machine à monter, notre mémoire. Preuve en est qu'en s'endormant, on ne fait pas défiler les vingt-quatre heures de la journée pour se remémorer les deux ou trois répliques marquantes glanées par-ci par-là. On garde l'essentiel, ce qu'il reste après avoir tout coupé.

Un jour, très vite, le cinéma se rapprochera de la caméra la plus performante, le corps humain et ses cinq sens. Un jour, on pourra toucher les filles, on pourra même les renifler ! Un jour encore, tout ce que l'on verra à chaque moment de la journée sera enregistré. Il suffira de zoomer dans l'image…

De tous les arts, le cinéma est le plus naturel. Pour écrire un roman, il faut apprendre à lire et à écrire. Pour peindre, il faut apprendre à dessiner. Pour jouer de la musique, il faut apprendre le solfège. Le cinéma, non. L'enfant sort du ventre de sa mère, il est cinéaste. Il ouvre les yeux, il filme. Ce cinéma qu'on appelle le septième art est devenu le premier des arts parce qu'il filme tous les autres arts. Il a réussi à les accaparer, à les synthétiser. Comme nous sommes tous cinéastes, nous n'avons pas besoin de faire d'études préliminaires. C'est pour cette raison que j'ai créé les ateliers de Beaune, pour permettre à tous ces amoureux du cinéma – qui ont un œil et une vision du monde – de devenir professionnels sans passer par une école.

Le cinéma, c'est aussi un art pour les gens simples, un art populaire. Si nous ne faisions pas de coupes, nous ferions quotidiennement un film de vingt-quatre heures. Mais qui irait voir un film de vingt-quatre heures ? Chaque soir, inconsciemment, nous accomplissons le montage d'une histoire vécue qui durerait des heures ou peut-être des années sans cela. Puisqu'il y aura toujours des gens qui filment mieux que d'autres, des cinéastes se dévoilent. Des gens à l'esprit de synthèse un peu plus fort que d'autres, conscients que ce qu'ils filment peut devenir un film.

La force du cinéma, c'est que c'est un art à la disposition de tout le monde, un art de plus en plus populaire. C'est pour cela qu'il a tant de succès. Quand un bouquin marche, il fait dix, quinze mille exemplaires. Quinze mille entrées, c'est ce que fait le cinéma le premier jour à Paris ! Après être passé à la télévision, même s'il n'a pas marché dans le monde entier, un film est vu par un ou deux millions de spectateurs. Les proportions n'ont strictement rien à voir. Les Indiens réalisent mille films par an pour des gens qui ne savent ni lire ni écrire, pour de petits enfants de cinquante ans auxquels on raconte encore des histoires de princes charmants et de princesses…

Aujourd'hui, il y a sept milliards de personnes qui filment avec leurs smartphones. Les grands reporters de la vie sont dans la rue, au bon endroit, au bon ou au mauvais moment. Les attentats, les tsunamis, les éruptions volcaniques, les bombardements, le Concorde en flammes… toutes les grandes catastrophes ont été filmées par des amateurs. Le monde entier filme. J'étais au concert de Johnny Hallyday. Sur les dix mille personnes présentes, deux mille personnes filmaient. Et quand vous filmez, c'est un vrai travail, vous ne regardez plus le spectacle…

Autrefois, on nous demandait des autographes. Maintenant, on nous réclame des selfies. Quand je dîne avec mes filles et que je veux leur parler, je les appelle au téléphone… à table. Il n'y a plus que cela qui les intéresse.

Il faut dire que l'on peut tout faire avec le smartphone, du cinéma en particulier. Toutes les petites vidéos qui circulent sont à mourir de rire. Et ce ne sont pas des gens qui ont fait des écoles de cinéma qui ont ces trouvailles absolument incroyables.

Un grand cinéaste doit tenir compte de la mémoire collective, savoir s'en servir. Il fut une époque où l'acteur disait : « Je vais au bois de

Boulogne. » On le voyait descendre de chez lui à Montmartre, monter dans sa voiture, traverser tout Paris pour arriver enfin à destination. Aujourd'hui, je dis : « Il va au bois de Boulogne », *cut*[1]. Il est au bois de Boulogne. La mémoire collective sait qu'il a pris le métro, son vélo, sa voiture… Autrefois, on disait : « Il pleut. » Et l'on faisait des scènes où il pleuvait. Maintenant, il suffit que le type arrive trempé, tout le monde sait qu'il pleut, plus besoin de tout expliquer.

Le problème, c'est que nous ne sommes pas tous à égalité concernant la mémoire collective. Certains ont besoin de savoir que l'on a pris la voiture pour aller au bois de Boulogne, qu'il y a eu vingt-cinq feux rouges… Imaginez que l'on s'arrête à chaque feu rouge, cela prendra une heure et demie !

Un grand film est un film qui va d'un point que l'on ne connaît pas à un point que l'on ne connaît pas plus, sans passer par les vélos, les voitures, les transports, la météo.

Un grand film, c'est la synthèse de la synthèse de la synthèse.

1. Coupe franche qui permet un passage net, instantané, d'un plan au suivant.

L

Liberté

« J'ai connu douze heures de liberté. »
« La France n'est pas un pays libre. »

S'il y a bien un mot magique, peut-être aussi le plus délicat à s'offrir, c'est celui-là.

J'ai connu douze heures de liberté, les douze plus belles heures de mon existence. Jamais je n'ai retrouvé pareille extase. Jamais la vie n'a renouvelé un moment aussi parfait, un cadeau tant extraordinaire qu'inattendu. Ces douze heures, elles en valent cinquante, je les souhaite à tout le monde. Pourtant, si je dois les analyser, c'est simple : il ne s'est rien passé. Mais c'est parce qu'il ne s'est rien passé qu'elles sont magnifiques. Quand je ne vais pas bien, j'y repense inlassablement…

J'ai vingt et un ans, je suis à l'armée où je réalise un film sur le vol des hélicoptères en montagne au lac du Bourget, là où campe la base aérienne. Un week-end, alors que toute la caserne part en permission à Paris, je décide de rester sur place pour travailler mon scénario. Je passe la journée à écrire, vers 18 ou 19 heures, je n'y tiens plus. J'aurais dû partir en perm à Paris... Que faire ? La caserne est vide, personne avec qui discuter... Seul, habillé en militaire, sans la moindre idée d'où aller, je sors et grimpe dans la montagne. J'emprunte un petit chemin comme ça, la lumière est d'une beauté incroyable, le soleil tombe sur le lac du Bourget, je me régale. Au détour d'un virage, j'aperçois un petit hameau. Une vingtaine de personnes s'affairent autour d'un four à pain. Verres de vin, charcutaille... L'ambiance est bon enfant, ils cuisent à tour de rôle leur fournée hebdomadaire.

« Oh hé l'militaire ! Comment ça va ? Tu viens boire un coup avec nous ? »

Comment résister à ces gens que je ne connais pas, qui me disent bonjour et m'offrent un bout de saucisson, un morceau de pâté, un coup de rouge ? J'accepte avec plaisir, je bois un coup avec eux... et je vis un moment magique. C'est bête comme la lune !

Un couple de fermiers me prend en sympathie :

« Hé l'militaire, viens donc manger avec nous à la ferme. On a fait le canard.

— Je voudrais bien, mais il va falloir que je redescende…

— Mais non, allez… On va vous donner une chambre, vous dormirez ici ce soir. »

La ferme donne sur le lac, le panorama est extraordinaire. La femme ouvre une chambre avec vue sur le plus beau spectacle du monde, le lit est couvert d'un duvet en plume d'oie, une cuvette pour se laver trône dans un coin. Je vais de cadeau en cadeau.

Il est 20 ou 21 heures, nous dînons ensemble : pâté en entrée, canard ensuite – je n'ai jamais mangé un canard aussi bon de ma vie –, tarte maison pour finir, le tout arrosé d'un vin confectionné par le fermier. Ils me racontent leur vie, le jardin, les poules, les canards, la chasse. Des choses très simples. Je leur parle de la base, du service militaire, ils me montrent les photos de leur famille, puis la femme me propose de m'accompagner à ma chambre quand retentit la pétarade d'une mobylette. Le fermier m'explique :

« Ah, c'est ma fille… Elle a encore dû s'engueuler avec son mec ! »

Effectivement, la fille arrive de Chambéry. Elle s'est disputée avec son copain et, comme chaque fois qu'elle se dispute avec son copain, elle revient à la maison voir papa, maman.

Elle entre comme une furie.

« Ce con ! Il me fait chier, j'en ai marre !!! Il va voir ce qu'il va voir… »

Ses parents me présentent.

« Comment vous vous appelez déjà ? Ah oui, Claude. »

À elle :

« Tu ne veux pas finir le canard ?

— Si, si, je vais le finir avec vous. »

Et me voilà avec cette fille que l'on me livre sur un plateau. Ce n'est pas Marilyn Monroe, mais c'est la jolie femme, la fermière, la fille du coin. Elle a les joues rouges, elle est sympathique, marrante, en me voyant elle se calme. Je reprends un morceau de volatile et de tarte avec elle, puis les parents nous informent :

« Nous, on va se coucher. »

Scénario de rêve ! Je me retrouve seul avec cette fille adorable, mignonne, mais la situation me pose tout de même un cas de conscience. Ils t'ont accueilli chez eux, tu ne vas quand même pas aller au bout du bout, ce ne serait pas bien, me dis-je, la fille est furieuse après son copain, tu vas être l'instrument de sa vengeance… Cela ne me déplaît pas vraiment, l'envie n'a pas l'air de lui manquer à elle non plus…

Vers 23 heures ou minuit, je lui dis au revoir, je rejoins ma chambre et me couche. Vingt minutes plus tard, la porte s'ouvre… C'est elle. Elle entre sur la pointe des pieds, se glisse discrètement dans mon lit...

Je passe une nuit de rêve, une nuit divine, en toute simplicité. Pas une minute qui ne soit un cadeau. Elle, elle se venge de son copain, et moi, j'en profite.

Vers 8 heures du matin, on frappe à la porte. Le choc. Je pense que l'on va me casser la gueule, je n'aurais pas dû... C'est la mère. Elle vient gentiment déposer un plateau de petit déjeuner, pour deux. Avec les confitures maison, le beurre frais, le pain grillé juste ce qu'il faut... Le bonheur. Je suis dans la perfection, je rêve d'un utopique arrêt sur image.

Nous prenons le petit déjeuner au lit. Pas d'engagements, pas de « Il faut qu'on se revoie ». Une bulle. Je me rhabille, prêt à retourner à la caserne.

« Je redescends à Chambéry. Montez avec moi, je vous dépose. »

Elle m'installe derrière elle sur la mobylette, nous prenons la route direction la caserne. La descente est féerique, je flotte dans une autre dimension. Arrivés à destination, il est temps de se quitter. Là encore, la magie opère. Je l'embrasse, au revoir, merci... Et voilà. Ni contraintes, ni obligations, ni trucs à payer : la parenthèse idéale. Les douze plus belles heures de ma vie.

Évidemment, arrivé à l'armée, on me demande de rendre des comptes : « On t'a cherché, où étais-tu ? » Mais c'était un dimanche, ma disparition ne portait pas vraiment à conséquence.

Quelques années plus tard, je monte sur scène à Cannes pour recevoir ma Palme d'or. Je rentre à l'hôtel après la cérémonie, un télégramme m'attend. Je décolle l'enveloppe, déploie le papier… Ces trois mots griffonnés m'enchantent encore : « Bravo – La mobylette ».

J'aimerais filmer ces douze heures, expliquer que nous sommes au paradis, que nous ne nous en apercevons même pas, pollués par nos échéances et nos contraintes. Mais si je faisais ce film qui s'appellerait *Douze heures de bonheur*, personne n'irait le voir ! Les gens s'en fichent. Nous sommes jaloux du bonheur des autres quand nous nous gargarisons de leur malheur. C'est fou ce que le malheur des autres est supportable… Et puis je déplairais à la terre entière. Parce qu'il ne se passe rien. Il ne se passe rien, mais il y a tout. C'est cela la liberté. Qui aurait pu prévoir que des gens feraient le pain pour la semaine ? Qu'ils m'inviteraient ? Que leur fille débarquerait ? Personne ne peut prévoir un scénario pareil. J'aurais pu dire non merci, continuer mon chemin. Mais non, moi je suis client. La fille est arrivée de mauvaise humeur, je n'ai même pas essayé de philosopher en lui disant un de perdu, dix de retrouvés – on a toujours des phrases pour rassurer les autres dans leur malheur. Certes, ce couple me trouvait sympathique, mais il ne m'a pas présenté sa fille, il n'y avait aucune préméditation. De mon côté, je n'ai eu à téléphoner à personne – sûrement n'y avait-il même pas de téléphone dans le hameau à l'époque –, je n'ai pas eu à mentir, à raconter une histoire : « Non, je ne peux pas venir, excuse-moi… » Je n'avais mal nulle part, je me sentais bien, c'était léger, personne ne demandait quoi que ce soit. Aucun investissement, que des cadeaux. J'étais dans une bulle, j'étais libre.

Ce moment d'extase, c'est le résultat de la liberté, sa concrétisation. Il est à l'image de mon cinéma. Quand Belmondo[1] part à travers le monde, quand nous allons dans les bras d'Amma[2], c'est pour approcher cet état de ravissement. Tout ce que l'on fait dans la vie, si je me bats depuis tant d'années, c'est pour avoir la chance de revivre un petit moment de grâce comme celui-là. Il m'est arrivé de monter au volant d'une Ferrari, de rentrer dans de belles maisons, de recevoir une Palme d'or, des Oscars… J'ai confirmé la force de l'extase mais je n'ai jamais retrouvé un moment aussi privilégié.

---

1. *Itinéraire d'un enfant gâté* dans lequel Jean-Paul Belmondo, la cinquantaine passée, se lasse de ses responsabilités et décide de disparaître en mer. Son passé le rattrapera.

2. Figure spirituelle et humanitaire d'envergure internationale, Amma transmet son amour par son étreinte, le fameux « darshan ». Cette Indienne est considérée comme une sainte et a pour seule religion l'amour. Elle apparaît dans *Un+Une* de Claude Lelouch.

Une minute, dix minutes, vingt minutes, oui, mais douze heures… c'était parfait.

Rien n'est plus court que l'extase et, pourtant, on s'y habitue vite. J'espère y avoir encore droit. J'ai eu la chance de l'apprécier sur le moment et je l'ai dégustée pendant cinquante ans.

La liberté, c'est un mot très dangereux. Il brille comme ça, liberté, égalité, fraternité… mais c'est un mot qui oblige à de terribles contraintes, qui installe une somme incroyable de censures. La liberté n'est pas gratuite, elle a un prix et ce prix est aujourd'hui exorbitant.

L'homme libre n'a rien. Il est pauvre comme l'animal, sans fortune, sans vêtements, sans valises. Il marche sur la route, il dort dans les champs, il se baigne dans la mer, il cueille des fruits. Il déguste le présent dans toute sa splendeur et assiste au spectacle du monde sans en être acteur. C'est cela la liberté. Quand chaque seconde ne vous oblige pas à préparer celle d'après. Pratiquement, cela n'existe pas. Personne n'a droit à la liberté. L'homme le plus libre que je connaisse est un ami, Hervé Picard[1]. Il ne finit rien de ce qu'il commence, il n'a pas d'obligation de résultat, lui-même n'est pas fini…

1. Claude Lelouch a réalisé son film *Roman de gare* sous le pseudonyme d'Hervé Picard pour « refaire un film en m'amusant, en allant à l'essentiel, sans subir la pression du marché ou les contraintes marketing du métier ».

Les riches ont trop de contraintes, trop de devoirs, pour être libres. À moins qu'ils aient des porteurs de valises, ce qui est mon cas. Ma liberté, je me la suis offerte. Je peux courir très vite parce que des gens portent mes fardeaux. Mais cela coûte cher.

La liberté a ses limites. Elle déteste le vol, elle déteste le crime, elle déteste les tricheurs. D'un seul coup, elle ne joue plus son rôle, elle fait de vous un prisonnier. Vous demandez un prêt à la banque ? Vous n'êtes plus un homme libre. Chaque fois que j'ai eu des dettes, chaque fois que j'ai été dépendant de quelqu'un, j'ai cessé d'être un homme libre. Un homme libre n'a de comptes à rendre à personne. Et qui n'a de comptes à rendre à personne ? Aujourd'hui, les banques sont les salopards de la liberté. La plupart des gens sont à la merci de leur carte bleue, d'un prêt, d'un remboursement de maison. La France aussi est à la merci de ses dettes, à la merci du capitalisme. La France n'est pas un pays libre.

Je pense avoir été un cinéaste libre, mais que de travail, que de contraintes derrière cette liberté... Il est vrai que de pouvoir faire le film que j'ai envie de faire n'a pas de prix. Jusqu'à maintenant, j'ai évité les films de commande. J'ai fait des pubs, des Scopitone, des courts-métrages, parce qu'il y avait un thème précis, mais mes quarante-cinq longs-métrages sont les films que j'avais envie de faire.

La liberté et le hasard m'ont permis d'aller là où je n'aurais jamais eu l'audace de rêver d'aller, je ne me le serais jamais autorisé. Si quelqu'un m'avait fait lire le scénario de ma vie, j'aurais dit : « C'est du cinéma. » Tant d'enfants et de petits-enfants, tant de gens croisés, tant de films réalisés, tant de femmes rencontrées, toutes aimées… J'aurais dit trop c'est trop. Je n'y aurais pas cru. Si ce scénario s'est réalisé, c'est parce que je n'y croyais pas, parce qu'au nom de la liberté, je me suis toujours donné beaucoup de mal pour faire ce que j'avais envie de faire. C'est ainsi que les miracles ont lieu. Le hasard, les miracles, la liberté, ça ne se manipule pas. Il faut y croire, comme d'autres croient en Dieu.

Les années sont passées, je suis retourné au Bourget-du-Lac. Évidemment, j'ai refait le chemin, j'ai cherché le four à pain… Le petit hameau avait complètement disparu, il n'y avait plus personne, toutes les fermes avaient été vendues, transformées en résidences secondaires. Ce lieu béni n'existait plus.

Reste le canard… Je ne peux en manger sans être ému, il n'est hélas plus jamais aussi bon.

M

Musique

« J'ai travaillé avec Michel Legrand,
Claude Bowling, Laurent Couson,
Pierre Vassiliu, Moustaki…
avec Rachmaninov, Ravel, Mozart… »
« Francis Lai, c'est mon chouchou. »

La musique, c'est la langue de Dieu. Celle qu'Il utilise pour nous parler. Elle s'adresse à notre inconscient et non à notre intelligence, à notre cœur et à ce qu'il y a de meilleur en chacun de nous. Elle est la part d'irrationnel d'un film, de beaucoup d'autres choses aussi.

Dès que j'écoute de la musique, c'est un peu comme si je prenais un cachet d'aspirine : ça me soulage d'un tas de choses. La musique me donne envie de danser, de chanter, c'est un médicament extraordinaire pour le genre humain, le meilleur de tous, celui que je préfère. Et il n'a aucun effet indésirable !

On met de la musique dans les salles d'attente, dans les ascenseurs, dans les supermarchés, on met de la musique pour adoucir les mœurs, pour calmer les gens. La musique rend rarement méchant. Il n'y a qu'à voir les spectateurs d'un concert… Vingt mille têtes aux anges ! Prenez les mêmes écoutant un discours politique, ce n'est plus du tout la même chose… Les grandes idoles de ce monde, ceux qui ont le plus de succès, sont des musiciens. Ou des chanteurs. Eux soulèvent les foules, eux remplissent les stades, ce n'est pas rien.

La musique, j'en écoute beaucoup, moins qu'avant néanmoins. J'en ai surtout anormalement consommé étant jeune, elle répondait à toutes les questions que je me posais, à toutes ces interrogations qui n'ont pas de réponses. En vieillissant, je deviens plus sélectif, j'ai appris à choisir.

Toutes les musiques sont admirables. J'ai grandi avec le jazz, avec Glenn Miller qui composait une musique plus gaie et plus facile que celle de Count Basie ou de Duke Ellington. Il a eu beaucoup de succès avant et pendant la guerre, jusqu'à ce qu'il disparaisse dans un accident d'avion au-dessus de la Manche en décembre 1944.

Ensuite, j'ai découvert Count Basie, Duke Ellington, Errol Gardner, puis le classique, les variétés. Le jazz, c'est une musique généreuse, elle donne envie de goûter aux autres même si elle reste ma préférée, tout comme pour Woody Allen. C'est le point commun que j'entretiens avec lui. Tous ses films comportent du jazz, lui-même en joue.

Mon cinéma, c'est du jazz. Il y a le thème... et ce que l'on en fait. C'est cette part d'improvisation qui me plaît, elle correspond à ma nature. Mon prochain film se déroule d'ailleurs pendant un festival de jazz. Liane Foly[1] vient de réenregistrer une quantité de standards, cette musique sera un des personnages récurrents du film.

La musique, c'est un acteur important de ma vie. Je l'écoute essentiellement en écrivant, dans ma voiture, l'endroit idéal pour se concentrer, rêver, réfléchir.

La musique, c'est aussi un acteur important de tous mes films. Et comme tout acteur important, je l'engage en premier. La première personne à qui je raconte le scénario, c'est mon musicien[2]. J'ai travaillé avec Michel Legrand, Claude Bowling, Laurent Couson, Pierre Vassiliu, Moustaki...

1. Son neuvième album intitulé *Crooneuse* est un disque de reprises comprenant onze titres, dont *La Boîte de jazz* de Michel Jonasz, *Fais-moi une place* de Julien Clerc, *Toute la musique que j'aime* de Johnny Hallyday ou encore *Slave to the Rythm* de Grace Jones.

2. Claude Lelouch est l'un des seuls réalisateurs au monde à enregistrer l'intégralité de sa musique avant de tourner son film.

J'ai travaillé avec Rachmaninov, Ravel, Mozart, des jazzmen aussi... La liste des compositeurs que j'ai utilisés dans mes films est impressionnante.

Francis Lai, c'est mon chouchou, mon préféré. Il est un peu mon double. Pour raconter une histoire, j'ai besoin d'images et de mots, de dialogues et de situations. Lui n'a besoin que de notes. Je lui parle de l'histoire, puis je lui dis : « Maintenant, tu vas me raconter la même histoire. » Ce qu'il fait : il me répète ce que je lui ai dit avec des notes, puis nous nous synchronisons.

Sa musique, il doit me la faire écouter avant que je tourne le film. S'il la composait sur mes images, il serait forcément influencé par elles, sa musique serait un pléonasme. À moins qu'il ne l'écrive pour sauver mes images si elles ne sont pas bonnes, pour les effacer. C'est le cas de nombreux films américains ratés. La musique y prend une place démesurée, elle bouche les trous, elle remplace ce qu'il n'y a pas dans le film.

Je n'aime pas les mélodies de remplacement qui viennent au secours du film. J'aime celles qui jouent un rôle, qui racontent les choses comme le film les raconte. Lorsque la musique d'*Un homme et une femme* prend le relais de mes images, elle relate la même histoire, elle reste un médiateur, une complémentarité.

Moi, je parle à la matière grise du spectateur. Je le fais rire, je le fais pleurer, je peux même le faire réfléchir. Francis, lui, il parle à son cœur. Il lui donne la chair de poule. La chair de poule, c'est un drôle de truc, un mélange de rire et de larmes où le rire pourrait devenir une larme et les larmes un rire. C'est la synthèse parfaite de ce que l'on cherche dans la vie. La musique est très douée pour la réveiller. Lorsque quelqu'un vous donne la chair de poule, c'est l'extase, le bonheur. C'est un peu comme un fou rire. Un fou rire des sentiments. On ne sait pas comment cela se déclenche. On sait provoquer un rire, on sait provoquer des larmes, on ne sait pas déclencher la chair de poule. Je ne peux pas dire à un acteur : « J'aimerais que tu aies la chair de poule, j'aimerais que tu rougisses. » Lorsque cela se produit, c'est un miracle. Personne ne peut l'expliquer. Pourquoi ?... Parce que c'est Dieu. Quand Dieu veut nous parler, Il nous envoie des musiciens.

J'aurais aimé écrire des chansons, je me serais moins tracassé qu'en faisant des films. En trois minutes, une chanson réussie procure les mêmes émotions qu'un film de deux heures. Comme lui, elle peut changer le monde, de nombreuses mélodies ont changé le monde. Celle des *Restos du cœur* par exemple. Elle donne envie d'être généreux, de vider son frigo.

Toutes les œuvres d'art peuvent changer le monde, c'est la raison pour laquelle j'aime les artistes. Ils sont les chouchous du bon Dieu, ils détiennent un pass, une carte de réduction. Installés dans l'irrationnel, ils ont droit aux miracles un peu plus que les autres ; j'ai ainsi été miraculé quarante-cinq fois. Quand le mot chef-d'œuvre s'impose, le divin, l'invisible ou tout ce qui ressemble à Dieu a donné un coup de main.

J'aime le jazz, c'est sans conteste ma musique préférée. J'adore le piano, cet orchestre à lui tout seul, j'adore l'accordéon et l'harmonica, des instruments complets, la guitare, c'est génial, une trompette, une clarinette, c'est magnifique… J'aime tout ! C'est mon gros problème. LE gros problème de ma vie. Je suis amoureux de la vie, cela devient un vrai problème à un certain moment de l'existence.

N

Non

« Merci à tous ceux qui m'ont dit non. »

Merci à tous ceux qui m'ont dit non, ils m'ont permis de dénicher tous ceux qui m'ont dit oui, je ne les remercierai jamais assez.

Je suis le résultat de tous les gens qui m'ont dit oui. Comme tout un chacun. Les critiques m'ont dit non ? Je les évite. Mais je remercie néanmoins ceux d'entre eux qui m'ont dit oui, il y en a malgré tout…

J'ai changé plusieurs fois de banque dans ma vie. Certaines m'ont dit non, elles m'ont permis de trouver celles qui m'ont soutenu.

Des femmes m'ont dit : « Non, je n'ai pas envie de coucher avec toi. » J'ai répondu : « Tant pis, je vais en chercher une autre à qui ça plaît bien. » Et voilà.

Tout ce que je n'aime pas, tous les gens qui ne m'aiment pas, je m'en écarte. Si l'on me disait demain : « Non non non », j'aurais peut-être envie de me suicider. Le non, c'est un stop, un refus, un rejet. Un type qui se suicide, c'est un type qui ne rencontre plus personne pour lui dire oui.

Nous ne pouvons faire les choses tout seul, nous avons besoin des autres. Tant que quelqu'un nous dit oui, à deux, on peut faire beaucoup de choses… Et déjà des enfants !

O

Origine

« Quand on est enfant,
la guerre n'est qu'un jeu. »
« Lelouch ayant une consonance
périlleusement juive, nous voyageons
sous le nom de jeune fille de ma mère : Abeilard. »

L'origine d'une passion… J'ai pris le goût du cinéma pendant la guerre. Tout petit déjà, lorsque mes parents voulaient me récompenser, ils m'emmenaient voir un film. Pour un enfant, la vie est longue, le cinéma offrait à mes yeux une sorte de concentré, de synthèse éblouissante de l'existence. On y croisait les mêmes individus que dans la rue, en plus réussis, plus beaux, plus courageux, plus intelligents. Comment n'aurais-je pas préféré fréquenter ces gens-là ? Les vrais, je les trouvais désespérants. J'ai grandi avec cet amour du cinéma, sans doute m'a-t-il sauvé la vie…

« On part se cacher en Algérie, là-bas on sera tranquilles. »

J'ai trois ans lorsque mon père Simon Lelouch, un juif d'Alger installé en France depuis 1933, nous annonce sa décision. Nous sommes en 1940, il pressent la guerre, le nazisme, l'antisémitisme et nous met à l'abri à Alger. Je ne suis pas bien grand mais je me souviens très bien de cette période. Le bateau, l'arrivée à Alger, le soleil… j'ai même le sentiment d'être plutôt né à Alger qu'à Paris ! Ce sont mes premiers souvenirs, des souvenirs heureux. Quand on est enfant, la guerre n'est qu'un jeu. Même lorsque tout va mal, les parents vous protègent, vous cachent tout, comme dans *La vie est belle*, le film de Roberto Benigni. Je ne peux pas dire que j'ai souffert de la guerre, mes parents sûrement mais pas moi.

Un soir de 1942 – nous sommes donc installés à Alger –, mes parents se disputent. Ma mère avise mon père qu'elle a décidé de se rendre à Nice pour l'accouchement de sa sœur, elle veut être sur place quand le bébé naîtra : « Juste un aller-retour, une petite semaine et puis je reviens. » À cette époque, il y avait encore libre circulation entre Alger et Marseille, des bateaux assuraient la liaison. Ma mère ajoute : « J'emmène Coco. » Coco, c'est moi. Mon père crie, avertit que les Américains peuvent débarquer en Algérie d'un jour à l'autre, que la zone libre sera occupée.

Il s'oppose avec force à ce voyage et lui enjoint de me laisser ici. Rien n'y fait. Ma mère clame : « Non, non, je l'emmène. » Elle ne voulait pas se séparer de moi, c'était normal. Je n'avais que cinq ans, j'étais encore fils unique puisque Martine ma sœur n'était pas née ; elle arrivera dix ans plus tard, après la guerre.

Je me souviens très bien de notre périple, le départ sur le *Ville d'Alger*, l'un des plus gros paquebots de l'époque, l'arrivée à Marseille, le train pour Nice… Là, ma mère assiste à l'accouchement de sa sœur et le lendemain… toutes les relations entre la France et l'Afrique du Nord sont coupées ! Les Américains ont débarqué en Afrique du Nord[1], nous ne pouvons plus rentrer. Nous voilà bloqués à Nice sans savoir que faire, sans argent, juste de quoi financer un voyage d'une semaine. Jouer au casino de Monte-Carlo est peut-être une solution… Ma mère s'y rend tous les jours – on se croirait dans un film – et perd évidemment, comme tous les gens qui vont au casino. Elle y rencontre un de ses cousins, un certain Machetot, disposé à l'aider : « Ne t'inquiète pas, si tu veux retrouver Simon, j'ai un copain à Paris formidablement bien placé. Il

1. Les Alliés débarquent en Afrique du Nord le 8 novembre 1942. C'est l'opération « Torch ». Claude Lelouch a cinq ans.

connaît tout le monde, il pourra te faire passer par le Portugal, il y a un moyen d'y accéder. Monte à Paris voir ce type, c'est un dénommé Mazouy. »

Nous prenons aussitôt le train pour Paris et la zone occupée. Lelouch ayant une consonance périlleusement juive, ma mère étant catholique avant de se convertir par amour pour épouser mon père, nous voyageons sous son nom de jeune fille : Abeilard. Arrivés à Paris, nous constatons que notre appartement a été réquisitionné. Par chance, une tante nous accueille aussitôt rue du Faubourg-Saint-Denis. À peine installée, ma mère se rend au bureau de ce fameux Mazouy, avenue Henri-Martin dans le 16e arrondissement. À l'époque, ni elle ni son cousin ne le savaient encore : c'était l'un des bureaux d'achat de la Gestapo...

L'homme est charmant et ma mère, une jolie brune d'origine normande. Il la reçoit avec considération : « Écoutez, madame, ne vous inquiétez pas, nous avons le moyen de vous déposer là-bas, vous et votre fils, avec un petit avion. Dans une semaine si tout va bien, vous serez à Alger. En attendant, nous allons vous apprendre à vous servir d'un poste émetteur. Vous nous direz tout ce qu'il se passe en Algérie. »

Très mauvais film... D'un seul coup, on lui propose de collaborer, donnant-donnant. Il faut dire que ma mère lui avait tout raconté naïvement :

qu'elle était juive, que son mari était resté en Algérie, qu'elle cherchait le moyen de le rejoindre... Elle pensait que c'était un ami.

Ma mère sort du bureau complètement terrorisée. Elle a rendez-vous dès le lendemain pour apprendre à se servir du poste émetteur, d'un seul coup elle prend conscience qu'elle a vu la Gestapo, qu'on lui demande de trahir la France. Sans attendre, elle rentre à la maison et me dit : « On s'en va. » Effectivement, deux jours plus tard, nous étions recherchés par la Gestapo.

À partir de cet instant, c'est la fuite. Nous nous cachons, nous déménageons tous les quinze jours ou trois semaines : Paris, Nice, Marseille, Saint-Jeoire, un petit village de Haute-Savoie situé du côté de Grenoble où une tante nous accueille. On me met à l'école pendant quatre ou cinq mois mais, n'ayant pas suivi le début des cours, je suis largué. Alors je vais garder les vaches, donner à manger aux poules. J'ai une vie de fermier et je trouve cela très drôle. Puis nous repartons de nouveau en ville et je reprends une vie de citadin. Comme je suis un enfant insupportable qui ne tient pas en place – je n'étais pas méchant mais j'avais besoin d'être continuellement dans l'action –, ma mère s'aperçoit vite que l'endroit où je suis le plus calme – j'étais fasciné –, c'est au cinéma. Il faut savoir que les cinémas n'ont jamais aussi bien marché que sous l'Occupation. Elle me cache donc dans les salles obscures, me confie aux ouvreuses moyennant un pourboire et leur dit : « Vous surveillez le petit bonhomme, vous allez voir, il ne va pas bouger. » La moins chère et la plus sûre des garderies lui laisse le temps de trouver des solutions. De mon côté, le cinéma est le lieu où je me sens le mieux, protégé de tout, et il y fait chaud. À cinq ou six ans, j'y reste seul tout l'après-midi, je vois ainsi cinq ou six nouveaux films par semaine.

En temps de guerre, on fait des choses qu'on ne ferait pas dans un autre contexte. Dans *Les Uns et les Autres*, lorsque, à un arrêt du train en partance pour les camps, le père a l'idée de déposer son bébé sur la voie de chemin de fer avec son nom, une adresse et de l'argent, il est certain qu'il n'aurait pas agi ainsi en temps de paix. Quand ils sont au bord du précipice, au bord du gouffre, les individus ont des courages incroyables.

Pour moi, la guerre reste un terrain de jeu. À Paris, pendant les alertes de nuit, tout le monde descendait dans les caves. Cela m'amusait beaucoup : dans les abris, les gens fumaient, parlaient, discutaient, il y avait une véritable ambiance. Lorsque vous êtes gosse, tout vous réjouit. On ne dort pas la nuit, on descend dans les abris, on joue avec des copains dans le métro… Il faut en revanche s'habiller vite. Je mettais trois pantalons et trois manteaux les uns sur les autres parce que l'on ne savait jamais ce que l'on retrouverait en remontant...

Je grandis donc dans cette ambiance qui fait que je ne vais pas à l'école. Après la guerre, y retourner devient une réelle hantise. Je ne peux m'empêcher de quitter la classe pour me rendre dans une salle de cinéma, c'est une véritable obsession. Et pour mes parents, un véritable cauchemar ! J'ai des notes épouvantables, rien ne m'intéresse en dehors du cinéma. Ayant séché toute ma vie, évidemment, je rate mon bac. Sans les diplômes nécessaires pour entrer dans les écoles de cinéma, comment apprendre ce métier ? Heureusement, mon père m'offre dans la foulée cette fameuse caméra ETM 16 mm que je conserve toujours. Ma vie commence, tout devient simple.

P

Politique

« J'ai toujours été un homme du centre. »
« Ceux qui ont les plus beaux discours
sont les moins fiables. »

Mon rapport à la politique ? Toujours le même : je la regarde comme on regarde un match de foot. Pour moi, c'est du sport, un sport de plus, un sport où les meilleurs s'en sortent mieux que les autres. Voilà bien un exercice que je n'aimerais pas pratiquer…

Aujourd'hui, la politique est un véritable désastre. Les hommes politiques se font élire sur de beaux discours et rien ne suit. Ils n'arrivent plus à faire face à tant d'informations, de réformes, de décisions. Trop c'est trop, ils sont totalement débordés. Dans ce contexte, être président de la République est franchement le pire des métiers. Vous avez tous les emmerdes de la terre pour un salaire même pas mirobolant. Il faut vraiment avoir envie de foutre sa vie en l'air ! Évidemment, vous êtes bien logé, bien nourri, vous voyagez à l'œil, on vous fait des courbettes toute la journée, mais est-ce cela la vie ? Non, je ne le pense pas.

Pour la plupart, les hommes politiques sont des guerriers d'une cruauté terrible. Ils font des guerres parce qu'ils n'ont pas trouvé d'autres solutions. En fait, ce sont tous des dictateurs, ceux qui prônent la démocratie également. Ils peuvent raconter ce qu'ils veulent, dès que quelqu'un est au pouvoir, il met en place la dictature.

Je ne crache pas sur les hommes politiques, ils ont un travail de chien. Mais ils aiment ça. Ils aiment le pouvoir. Et ce qui est formidable aujourd'hui, c'est qu'ils n'en ont plus aucun ! Hollande n'en a aucun. Si vous détenez le pouvoir mais ne disposez d'aucun contrôle sur les événements, quel intérêt ?

Imaginez que demain matin il n'y ait plus de gouvernement… Eh bien, on vivrait très bien. Cela s'est passé en Belgique, les gens n'ont jamais été aussi heureux, ils regrettent cette époque. Postez-vous à un carrefour. Tout y circule très bien jusqu'à ce que les flics s'y installent. Là, des bouchons se forment. À la montagne, les skieurs descendent sans problème. Il n'y a pourtant ni feu rouge ni personne sur les pistes pour leur dire d'aller à droite ou à gauche. Un jour, cela pourrait hélas arriver…

Les rois faisaient ce qu'ils voulaient. Avec l'amour, avec le sexe, avec l'argent, avec leur vie. Un roi pouvait être pédophile, on ne le saura jamais. En revanche, si Hollande fait la moindre incartade, tout le monde est au courant. Les journalistes ne laissent rien passer, ils ont tellement besoin de vendre du papier qu'ils se jettent sur tout, le scandale se vend très bien. Il y a une surmédiatisation du malheur qui nous laisserait à penser qu'il n'y a pas de gens heureux.

Si l'on regarde l'histoire des politiques, le seul qui ait laissé des traces, c'est Napoléon. Mais avec du sang sur les mains… C'est le plus grand tueur qu'on ait jamais imaginé, et pourtant, il a innové d'une manière absolument incroyable. Il s'occupait de tout, il s'est occupé du monde entier, même des petites culottes de sa femme qui en avait trop acheté ! Il était partout, dans tous les domaines. À lui tout seul, il symbolise le pire et le meilleur. Ce que l'on peut faire de plus merveilleux et de plus effrayant avec la politique.

J'aime la démocratie parce que c'est joli, c'est généreux, c'est un beau scénario. Mais on essaie de nous faire croire que nous sommes tous égaux : c'est le plus gros mensonge qui soit. Nous sommes tout sauf égaux. Il n'y a pas deux hommes ou deux femmes pareils, la nature a voulu qu'il n'y ait jamais deux choses identiques. Nous seuls avons conçu les clones, nous seuls avons inventé les reproductions. La nature quant à elle nous dit : « Non, ma règle numéro un, c'est qu'il n'y aura jamais rien d'identique. »

J'ai toujours été un homme du centre. Je veux me laisser la possibilité de prendre les bonnes idées là où elles se trouvent, et elles se trouvent partout. À gauche comme à droite. J'aime mon pays, je suis pour la démocratie, mon pays peut compter sur moi, je servirai toujours un pouvoir en place élu démocratiquement, mais je ne me suis jamais senti impliqué.

Que les socialistes soient au pouvoir, que la droite soit au pouvoir, je suis bon joueur : je ne ferai rien contre aucun d'entre eux. Marine Le Pen au pouvoir ? Impossible. Je ne suis pas du tout inquiet, c'est une hypothèse que je n'envisage même pas. Et si elle arrivait, ce serait un feu de paille peut-être souhaitable : en un quart d'heure, on verrait que ses propositions ne tiennent pas la route.

En France, 25 % des gens sont définitivement à gauche. Par principe, par famille, et puis parce que c'est bien. Les intellectuels sont à gauche, les gens intelligents sont à gauche, les gens généreux sont à gauche… Par principe, voilà. Pour les mêmes raisons, pour des principes qui valent ce qu'ils valent, 25 % des gens sont définitivement à droite. C'est somme toute comme un individu qui serait juif et un autre catholique. Il n'y a rien à en dire.

Et puis il y a 50 % d'intermittents. Ceux-là me plaisent. Ces intermittents de la politique sont aussi intéressants que les intermittents du spectacle. Ils prennent la météo, ils changent d'avis, ils ne sont pas butés, on peut les acheter, les manipuler… Ce sont eux qui écoutent, qui font les élections. Eux, ils sont vivants, ils ne sont pas ancrés dans du définitif, ils n'ont pas les pieds dans le ciment.

La politique m'intéresse comme un sport, je me fiche de celui qui gagne. Je regarde les performances des uns et des autres, sachant très bien que ceux qui ont les plus beaux discours sont les moins fiables. Tous ont le sentiment d'avoir fait ce qu'il y avait à faire quand il s'agit pour l'heure de mettre les mains dans le cambouis – ce n'est pas parce que vous avez un bon scénario que le film est fait. Le film n'est pas fait.

Ce qui est intéressant, ce sont les gens qui font. Et les gens qui font, ils sont timides. Ils ont tellement de travail qu'ils n'ont pas le temps de faire de beaux discours. La contradiction est terrible, mais elle produit un authentique spectacle, le spectacle de la vie. À nous de détecter les parfums de vérité, et de s'y accrocher.

Au moment des événements de 68, je ne me suis pas engagé mais je m'intéressais à tout. J'allais aux réunions, je regardais, j'effectuais en quelque sorte des repérages. Plus tard, j'ai vu tous les soixante-huitards qui ne s'en sont pas remis...

Tous les mouvements politiques de rue ont porté leurs fruits. Dès que le peuple descend dans la rue, neuf fois sur dix il a raison. L'intérêt de la démocratie, c'est l'égalité au niveau du pouvoir : la voix d'un imbécile est aussi importante que celle d'une personne intelligente. Encore faut-il espérer qu'il y ait plus d'individus clairvoyants que d'idiots...

Une fois pourtant, je me suis engagé en politique. C'est l'unique circonstance, c'était pour soutenir Simone Veil[1] aux élections européennes. Je l'aimais beaucoup et elle me l'avait demandé. Quelle expérience... Tous étaient prêts à tout pour être élus. Cela m'a juste donné envie de ne plus jamais retoucher à la politique.

La politique, on peut en rire. Si l'on s'interroge sur la place des grands comiques depuis la fin de la guerre, on s'aperçoit qu'elle n'est pas insignifiante. En 1954, il y a eu Robert Lamoureux et son tube *Papa, maman, la bonne et moi*, en 1959 Roger Nicolas et son sketch *Écoute, écoute*, puis ce

1. Simone Veil a été la première femme présidente du Parlement européen en 1979.

fut Fernand Raynaud. Tous trois nous ont obligés à raisonner d'une nouvelle façon. Thierry Le Luron et Coluche sont apparus plus tard. Ces deux-là, c'était du costaud. Ils étaient vraiment drôles. Ils n'avaient pas peur d'appuyer là où cela fait mal et ont ouvert des portes absolument incroyables. Aujourd'hui, Laurent Gerra fait un tabac. Plus le monde va mal, plus les comiques ont du succès. Les spectacles remplissent davantage les salles en temps de guerre qu'en temps de paix. Il y a une logique à tout finalement.

J'ai pourtant le sentiment que notre monde a envie de devenir propre, et cela me plaît. Sur le plan de l'écologie, le monde que j'ai connu a bien changé. Il y a une prise de conscience colossale : il faut sauver la planète. Avant, on lâchait des bombes atomiques, on se fichait de la pollution, on fumait dans les cinémas, dans les avions. En même temps, on a créé des angoisses existentielles telles que les gens se réfugient dans l'alcool et la cigarette – des drogues terribles, en vente libre – pour oublier les emmerdes du quotidien. Parce qu'il faut bien des soupapes. C'est très compliqué.

Sur le plan économique, nous en avons assez de ceux qui s'enrichissent sur le dos des autres en les exploitant. En fait, nous sommes en train de réinventer le communisme. C'était une idée formidable, le communisme. Le problème, c'était le nivellement par le bas. On pénalisait les plus malins, les mauvais étaient payés au même tarif.

Les tricheurs vont connaître une époque très difficile, dans tous les domaines. Parce qu'il est de plus en plus difficile de tricher. Aujourd'hui, lorsque je me déplace, tout le monde sait où j'étais à 17 heures, à 19 heures. Les jardins secrets disparaissent, fini les potagers. Pour être un homme libre, il faut jeter son téléphone, payer en liquide, se déplacer à pied et se fondre dans la foule… Et encore, on doit pouvoir vous retrouver. Être un fugitif, c'est ce qu'il y a de plus difficile de nos jours. Est-ce un bien, est-ce un mal ? Je ne sais pas. Toujours est-il que nous sommes dans une société de délation généralisée où tout le monde dénonce tout le monde. Si c'est pour le bien du plus grand nombre, c'est formidable. Si le plus grand nombre fait des progrès, si la générosité et l'honnêteté font des progrès, alors, il y aura quelques avantages. Les gens honnêtes vont enfin pouvoir respirer un petit peu mieux qu'avant, cela me plaît. Plus on traquera les tricheurs, plus le monde sera agréable. Mais lorsque l'on aura traqué les tricheurs, nous serons neuf ou dix milliards d'individus…

Le grand problème de la politique mondiale, c'est la surpopulation. Il y a une inflation de personnel. Quand je suis arrivé au monde, il y avait trois milliards d'individus sur Terre. Aujourd'hui, nous sommes sept milliards, et l'on permet aux humains de jouer les prolongations, d'être un peu plus vieux qu'avant. Est-ce une bonne chose ? La mort a malgré tout fait ses preuves, c'est une belle invention...

À un moment donné, nous ne pourrons plus nourrir tout ce monde, ce sera le carnage. Nous allons nous entre-tuer pour pouvoir manger. Le pire des scénarios !

À quel moment va-t-on dire stop ? À dix milliards ? à quinze milliards ? À deux dans un appartement, c'est sympa. À soixante, cela devient difficile. Quand va-t-on annoncer la limitation des naissances ? Pour l'instant, on annonce l'ISF, l'impôt sur le machin... Mais l'impôt sur les naissances ? Nous allons y arriver, cela changera le monde. On nous dira : vous avez droit à un enfant, point barre. Les frères, les sœurs, tout cela, c'est fini. Il y aura bien quelques tricheurs qui feront des jumeaux, ceux-là auront de la chance...

Il faut de la politique, il faut des agents de circulation pour permettre aux sept milliards d'individus de circuler. La politique, c'est l'art d'éviter les embouteillages.

La Chine a déjà pratiqué le contrôle des naissances. En Inde, c'est l'incroyable fertilité du chaos, le bordel créatif. C'est ce que j'aime dans ce pays, c'est aussi ce qui fait ma force. C'est dans le chaos que j'ai fait quarante-cinq longs-métrages, une centaine de Scopitone, des courts-métrages, des pubs. C'est ainsi, minute par minute, seconde par seconde, que l'on crée. Lorsque l'on agit au fur et à mesure, le désordre est contrôlé, tout devient possible. C'était un peu le principe de Napoléon, le principe des tiroirs : s'occuper de tout mais pas en même temps.

Je me nourris de toutes ces constatations. Je ne suis rien d'autre qu'un reporter qui scénarise ses observations. C'est pour cela que je veux être spectateur de la politique, des amours des uns et des autres, des contradictions.

Plus j'avance, plus je suis ancré dans le présent… et moins je suis capable de prévisions à long terme. Je sais ce que je vais faire ce matin, pour ce soir, j'ai une idée, mais, dès demain, l'aventure continue. Chaque seconde est maintenant pour moi le passeport de la prochaine, je commets moins d'erreurs en accomplissant mes gestes au fur et à mesure qu'en essayant de les programmer.

Sans doute doit-on prévoir un tant soit peu, un film cela se planifie, mais il est vrai que je ne vois réellement mes films qu'à leur fin. Ils ressemblent quelque peu aux films auxquels j'avais pensé au départ, mais ils se sont tellement enrichis au fur et à mesure de leur construction que ce n'est qu'à ce moment-là que je comprends vraiment ce que j'ai voulu faire.

Ce qui compte maintenant pour moi, c'est l'envie d'entreprendre. Dès que je suis lancé, je ne m'arrête plus. Le plus difficile, c'est toujours le départ de la course, il faut avoir envie d'aller sur la ligne de départ. Mais le spectacle est formidable, le type qui a inventé tout cela est un fou furieux, il décide de rebondissements incessants, de suspens de plus en plus déments. C'est évidemment un machiavel, mais quel scénariste aussi !

Moi, j'ai envie de vivre le plus longtemps possible, le film ne m'ennuie pas encore. Mais à un moment donné… C'est comme au cinéma : le film vous ennuie, vous avez envie de quitter la salle. Il est probable qu'à un certain moment, le film me barbera et que la mort sera la bienvenue. C'est formidable quand la mort est la bienvenue.

Q

Quiz

« La censure existe,
on espère bien la contourner. »

François Truffaut considérait que les premier et dernier films d'un réalisateur étaient en général les plus importants. Ce que j'en pense ?

Je suis d'accord pour les premiers. Parce qu'on vous donne un passeport qu'il faut faire renouveler tous les deux ou trois films auprès de l'ensemble des « professionnels de la profession ». Ce qui est certain, c'est que derrière un échec, il faut impérativement se le faire prolonger pour avoir le droit de continuer.

Pour le dernier, non, je ne suis pas d'accord. Parce que je ne connais pas la date de ma mort. Si l'on me disait : « Tu vas faire ton dernier film », il serait forcément important. J'y mettrais toutes mes forces, comme un joueur de tennis qui se dit :

« C'est le dernier jeu » ou bien : « C'est la dernière balle. » D'un seul coup, on ne s'économise plus, on n'en garde pas sous la pédale. Mais tant qu'on ne me dira pas : « C'est votre dernier film… »

Ce que j'aimerais que mes films suscitent chez le public ?

L'envie d'aller voir le prochain ! Cela voudra dire qu'il ne s'est pas lassé, que le voyage l'intéresse. Quand des spectateurs sortent d'un de mes films et disent : « Je n'irai plus voir un film de Lelouch », ça, c'est terrible. Parce que je les ai déçus. C'est un peu le même fonctionnement qu'avec des amis : on a envie d'être aimé encore et encore, on attend du mot amour qu'il se prolonge.

Est-ce que je me censure à l'écriture, en me disant : « Cette scène ne passera pas auprès d'un distributeur ? »

Pas au niveau de l'écriture. Mais il est vrai que lorsque j'envoie un scénario à un distributeur, à une chaîne de télé, je leur envoie un scénario casher !

Il y a le scénario que l'on écrit… et le scénario que l'on tourne. La censure existe, on espère bien la contourner d'une façon ou d'une autre. On se dit toujours que si le film est réussi, la censure tombera d'elle-même.

Est-ce que je sais dès l'écriture si je tournerai en plans-séquences[1] ou non ?

Non. Je le décide le jour du tournage, au tout dernier moment.

Le plan-séquence, c'est l'aristocratie de ce métier. C'est ce qu'il y a de plus difficile à faire au cinéma parce qu'il faut que tout soit réussi, on n'a pas droit à la moindre erreur. Les acteurs, la lumière, le mouvement… on ne peut plus rien rattraper. Au montage, on peut améliorer beaucoup de choses.

Évidemment, l'envie est forte de commencer par un plan-séquence, sachant qu'ensuite on lui rentrera dedans, on découpera à l'intérieur. Mais il serait prétentieux de dire : « Je vais faire un plan-séquence » chaque fois. Il faut vraiment être en très grande forme. Le plan-séquence, on se le garde au cas où tout marcherait bien.

Est-ce que j'écris mes scénarios en ayant un casting en tête ?

Souvent, mais pas toujours. Il y a les personnages qu'il va falloir trouver, ceux que l'on a déjà repérés. L'idée est un peu la même pour une chanson. Écrit-on les paroles en premier ou commence-t-on par la musique ? Les deux versions sont valables. On peut composer la musique à partir de très belles paroles

1. Scène filmée en un seul plan et restituée telle quelle dans le film, sans montage.

et partir d'une musique pour rédiger un texte, il n'y a pas vraiment de règles. Mais il est vrai que je commets moins d'erreurs lorsque je connais l'acteur qui va jouer la scène.

Est-ce que certains acteurs refusent ma proposition ?

Oui. De nombreux acteurs ne sentent pas le personnage qu'on leur propose de jouer et disent non. Ils se rendent compte qu'ils ne vont pas servir le rôle ou qu'ils ne sont pas à la hauteur. C'est même assez fréquent. Cela se produit une fois sur deux.

Est-ce que je tourne de façon chronologique ?

Le plus possible. La chronologie, c'est un peu comme la vie. Si je devais vivre aujourd'hui la journée de demain, je pense que je ne m'y retrouverais pas, les choses ne seraient pas naturelles. Il est tellement évident que chaque seconde invente celle d'après que plus je tournerai en mode chronologique, moins je commettrai d'erreurs.

Parfois, pour des raisons financières, je dois faire des sacrifices. C'est le cas par exemple si l'on me donne un décor pour deux jours et que j'ai une scène à y tourner au début du film et une autre à la fin. Ce jour-là, évidemment… Mais si je pouvais m'offrir le luxe de tourner tous mes films en chronologie, je le ferais.

La scène la plus difficile à tourner ?

Quand je n'ai aucune autorisation ou des autorisations qui n'en sont pas. Quand la météo se fâche, la pluie, la neige, le verglas, cela rend les choses difficiles. Quoi qu'il arrive, dès que l'on entre sur un plateau, on a une montagne à franchir. Mais plus c'est difficile, plus c'est excitant, la contrainte sollicite vraiment l'imagination. Plus c'est compliqué, plus je me dis : « Si l'on sort de cet obstacle, on va avoir une très belle scène. » Les scènes simples ne sont pas très photogéniques, tout le monde peut les faire.

La scène dont je suis le plus fier ?

Toutes les scènes qui n'étaient pas dans mes scénarios. Toutes celles qui font joujou avec la vie, qui ont le plus d'imagination, qui sont allées plus loin que moi, où le synchronisme entre les acteurs, l'humeur du jour, la lumière sont incroyables. Ces scènes miraculeuses où le divin vous donne un coup de main, il y en a dans tous mes films.

Mes références ?

En littérature, dans un premier temps c'est Molière. C'est le premier qui m'a interpellé. Ensuite, certainement Marcel Pagnol, Sacha Guitry, Victor Hugo et Michel Audiard. Ceux-là, c'est du costaud. Avec eux, j'ai avancé. C'est ma base.

Au cinéma, je dirais Chaplin. Il m'a vraiment fait rire, avant même que je sache que je ferais du cinéma. Kalatozov, évidemment, qui m'a donné envie de faire ce métier. Plus tard, j'ai été très impressionné par David Lean[1] qui a su combiner formidablement le cinéma populaire et le cinéma de qualité. Les autres m'ont tous interpellé, mais ils n'ont pas marqué aussi fortement ma façon de filmer.

Les pièges dans lesquels je ne veux pas tomber ?
M'associer à des tricheurs d'une façon ou d'une autre. Aujourd'hui, je les repère un peu mieux. Dès que j'en devine un : hop, je fais du slalom et je me barre ailleurs ! Mais il y en a – hommes et femmes – qui trichent tellement bien que je me fais prendre. Les tricheuses sont encore plus fortes que les tricheurs. Quand un piège est bien fait, on tombe dedans, forcément.

En ai-je marre d'être attendu au tournant ?
Non, au contraire cela me plaît bien, cela me donne des forces. Comme dans le sport, j'aime bien me forcer à battre mes propres records. Mes ennemis ont été très fidèles avec moi, ils ne m'ont jamais trahi. Leur fidélité m'a même impressionné !

1. Cinéaste britannique (1908-1991) célèbre pour avoir réalisé des œuvres majeures qui font partie des classiques du cinéma, dont *Le Pont de la rivière Kwaï*, *Lawrence d'Arabie*, *Le Docteur Jivago* et *Oliver Twist*.

Ce sont mes amis qui m'ont trahi, jamais mes ennemis.

Mes projets ?

Résister le plus longtemps possible à ma lettre de licenciement. Repousser le mot stop. Un jour, on me dira stop. Stop ou encore, c'est une formule formidable, je l'adore. Ces deux mots associés résumeraient presque la vie. Eh bien, j'aimerais bien que l'on me dise encore encore encore... Tant que l'on me proclamera le mot encore, je ferai des films. C'est la seule chose que je sais faire.

R

Religions

« J'ai plus de preuves de l'existence de Dieu que de Son inexistence. »
« Je suis allé tout autant à la synagogue qu'à l'église. »

Les religions, elles prônent toutes exactement la même chose : la générosité et l'amour. C'est le même scénario pour tout le monde, même si les magasins sont différents. Au nom de cette générosité, au nom de cet amour, elles sont prêtes à tuer la terre entière, comme l'illustrent ces guerres de religion à la base de tous les différends que nous connaissons. Et pourtant… Derrière toutes les religions, il y a des gens malheureux, des gens qui en ont besoin. Quand tout va bien, la religion n'est pas là. Mais quand tout va mal, quand les gens ne savent plus où frapper, et même s'ils n'y croient pas, la porte de Dieu est un refuge. Un refuge peut-être contestable mais essentiel pour les plus malheureux du monde entier.

Moi, par observation, j'ai plus de preuves de l'existence de Dieu que de Son inexistence. Certes, j'ai toujours eu envie d'y croire, mais plus j'observe le monde, plus je contemple ses contradictions, ses marches avant, ses marches arrière, plus je crois en Dieu. J'aurai mis une vie à y croire de plus en plus.

Mon père était juif, ma mère catholique, je n'ai pas fait ma bar-mitsvah[1] parce que je n'ai pas voulu la contrarier. Croyante, elle s'était convertie au judaïsme par amour pour mon père mais a continué à se rendre à l'église toute sa vie, sa conversion n'avait rien changé.

Mon père allait à la synagogue une fois par an, le jour du Grand Pardon. Il se disait : « On ne sait jamais, si ça marche, on a besoin de se faire pardonner… »

Moi, je suis allé tout autant à la synagogue qu'à l'église. J'ai toujours respecté non seulement ces deux religions, mais encore toutes les croyances.

Jamais mon père n'a imposé la synagogue à ma mère, jamais je n'ai prescrit une quelconque religion à mes enfants : « Vous faites ce que vous voulez, la religion, c'est un problème entre vous et vous. »

---

1. Cérémonie facultative célébrant le passage à l'état de majorité religieuse des jeunes garçons juifs de 13 ans.

On ne peut transmettre, on ne peut expliquer l'existence de Dieu comme on ne peut expliquer Sa non-existence. C'est encore une fois votre intime conviction qui fait qu'à un moment donné vous vous dites : « J'y crois, j'y crois pas. »

La religion, c'est un espace d'interrogation extrêmement intéressant. S'il y avait une certitude, si l'on était assuré de l'existence de Dieu sans l'ombre d'un doute, on serait au paradis, ce serait assommant. Si les gens savaient à quel point l'honnêteté est rentable, tout le monde serait honnête… C'est vrai qu'il n'y a rien de plus rentable que l'honnêteté, que la vérité, mais c'est parce que nombre d'individus pensent que la combine est plus rentable que l'honnêteté qu'il y a tous les tricheurs.

J'aime assez un monde où les croyants et les non-croyants s'opposent. C'est une discussion captivante. Les certitudes sont terribles, elles se transforment inévitablement en habitudes. La religion appartient à ce jeu qui induit discussions, avancées, replis…

Et puis il y a les églises… Aujourd'hui, d'un seul coup, on s'aperçoit que l'Église catholique est un repère de pédophiles. Que le fait d'interdire le mariage aux prêtres crée des traumatismes que l'on ne rencontre pas dans les religions où ils se marient, où leur sexualité peut s'épanouir. Voilà une aberration de l'Église. On ne peut prohiber cette fonction naturelle qui a permis d'engendrer l'humanité. C'est grâce au sexe que nous sommes sept milliards d'êtres humains. Le pape devrait donner un grand coup de pied là-dedans, autoriser la sexualité des prêtres, pour que l'Église ne demeure pas le refuge protecteur de toutes les sexualités tordues.

Récemment, un groupe de rabbins m'a contacté pour que j'adapte la Torah. Je leur devais cet aveu : je ne l'ai jamais lue. Et que me répondent-ils ?

« Ce n'est pas vrai. Dans vos films, vous ne parlez que de la Torah, sans même vous en rendre compte. Tous vos films sont des passages de la Torah… »

Évidemment, je tombe… du haut de la Torah ! On peut tout mettre dans ses cinq livres, les rapports hommes/femmes entre autres… Je leur réponds en rigolant :

« Je veux bien la lire, on ne sait jamais, si je trouve matière… On a bien fait la Bible, on peut peut-être essayer de faire la Torah, pourquoi pas. Mais qui va produire ce film ? C'est un film qui va coûter cher…

— Ne vous inquiétez pas. Le plus grand producteur du monde a donné son accord. À condition que vous fassiez le film.

— Qui est donc ce producteur ? La Warner, la Fox ?… Si je dis oui, vous allez me le dire ?… Alors je vous dis oui, je le fais. Qui est le producteur ?

— C'est Dieu. »

Cette réponse n'est pas innocente, je les ai pris au sérieux. Depuis leur visite, ils tentent de m'écrire des synopsis, mais le contenu est complexe, ce sont des histoires à dormir debout. Il est probable que si je me lançais dans un projet comme celui-ci, je prendrais un chemin plus simple, j'essaierais d'aller à l'essentiel.

Cette anecdote n'est pas dénuée de sens. À partir du moment où l'on dit oui, Dieu est présent. Qui a produit *Un homme et une femme* ? Dieu. Je n'ai été qu'un prête-nom. Dieu se cache dans tous les chefs-d'œuvre, dans tout ce qui résiste au temps, dans tout ce qui est immortel. Léonard de Vinci prête son nom, Picasso prête son nom… Tout ce qui représente l'Art prête son nom. La preuve de l'existence de Dieu, c'est l'Art. Nous ne sommes rien d'autres que des stagiaires, cette idée me transporte.

S

Spontanéité

« C'est le reflet d'une vérité
qui échappe à tout. »
« J'aimerais être LE metteur en scène
de la spontanéité. »

Je suis un chasseur de spontanéité, j'en suis amoureux. Je ne sais pourquoi elle est devenue la vedette de ma vie, mais c'est elle que je recherche dans une conversation, au cours d'un repas d'affaires ou d'un dîner amoureux. Cet instant où je pense : « Tiens, là on te dit la vérité. » Et non pas : « On a eu envie de te dire cela. »

Consciemment ou non, nous préparons nos discours, nos attitudes, nos tenues vestimentaires, notre maquillage... Ces comportements ne m'intéressent pas, ils sont truqués. Que cela se passe aux Césars ou lors d'un discours politique, dès que j'aperçois l'orateur sortir un bout de papier de sa poche, je n'écoute plus. Le type a préparé, il a raturé, il ne va rien oublier. C'est un discours de démagogie. Et j'ai vraiment la haine de la démagogie ! Le calcul, le sens du vent, quand on se dit : « Tiens, cela va m'attirer des sympathies, m'ouvrir des portes », ce n'est pas pour moi. Pour préparer la présidence de cérémonie des Césars, j'ai réfléchi à deux ou trois trucs, c'est obligé, mais j'ai privilégié le dernier instant pour être le plus spontané possible. La spontanéité paie toujours. Même si vous dites une connerie, vous êtes pardonné.

La spontanéité, c'est la force de l'inconscient sur l'intelligence, l'expression de ce qu'il y a de plus intime chez chacun de nous, le reflet d'une vérité qui échappe à tout. Si les blessés, les malades, tous ceux qui se retrouvent hors contrôle d'eux-mêmes nous bouleversent, c'est parce qu'ils révèlent la part fragile de leur individu. Les grands discours, ceux qui subsistent, sont de grands moments de spontanéité.

Quand Annie Girardot va chercher son César, elle est dans la spontanéité totale. Elle a bien entendu préparé sa petite phrase, mais lorsqu'elle exprime ce qu'elle ressent à cet instant précis, on se rend bien compte qu'elle ne contrôle plus rien. La machine est cassée. Il n'y a plus de trucage.

Un combat de boxe, c'est pareil. Le boxeur se dit : « Je vais lui mettre mon direct du gauche et je vais le fatiguer avec des gauches, des gauches, des gauches. » Et puis sur le ring, les gauches, il ne les passe pas… Il devrait utiliser un uppercut, mais il ne sait pas le faire. Alors, malgré tous les conseils de son manager, malgré toutes les stratégies qu'il a pu construire, lorsqu'il a pris deux coups dans la figure, sa stratégie n'est plus du tout la même !

Pour être spontané, il faut être surpris, ne pas avoir le temps de faire transiter l'information par son intelligence. L'intelligence digère l'événement puis joue le politiquement correct. D'un seul coup, on devient démago. Si j'annonce à un ami que son chien est mort, au moment précis où je lui en fais part, il ressent un choc. Son inconscient, sa sensibilité, tout ce qu'il y a de plus spontané chez lui est aussitôt touché. Ensuite, son intelligence, ses habitudes prennent le relais. Deux heures plus tard, lorsqu'il avise ses amis de la disparition de l'animal, il est déjà cicatrisé.

La spontanéité, c'est le choc du premier instant, ce moment où nous n'avons pas le temps d'être diaboliques, de faire bonne figure, ce moment où nous ne trichons pas, où nous sommes le plus sincères.

Si l'acteur a lu le scénario, il va faire semblant d'être spontané. Et il y a une grande différence entre faire semblant d'être spontané, jouer la spontanéité, et l'être. Pourquoi les caméras cachées ont-elles tant de succès ? Parce qu'elles filment l'étonnement, rien n'est plus photogénique. Dans *Itinéraire d'un enfant gâté*, Jean-Paul Belmondo apprend à Richard Anconina à ne jamais être étonné. La stupéfaction placerait ce dernier en état d'infériorité, son interlocuteur aurait alors l'avantage : je connais un sujet qu'il ne connaît pas, je peux donc le mettre K-O…

Dans *Salaud, on t'aime*[1], Johnny Hallyday ne sait pas que sa fille va s'énerver, c'est cela qui est formidable. Je ne l'ai pas prévenu, j'ai pris la petite à part, nous avons travaillé la scène, je lui ai dit : « Tu vas insulter Johnny, lui faire son procès et tu balanceras tout en l'air. Il faut qu'il en prenne plein la gueule. » Ce qui fait qu'au tournage, Johnny ne sait plus si c'est du cinéma ou si le cataclysme est réel. Il est complètement déstabilisé, il n'a pas le temps de jouer. S'il avait joué, il aurait fait semblant d'être déstabilisé, il aurait fait appel à son savoir-faire, à son métier.

La dernière scène d'*Un homme et une femme* procède du même principe. Anouk Aimée arrive sur le quai de la gare et aperçoit Jean-Louis Trintignant. Là, c'est l'étonnement absolu, elle ne savait pas qu'il devait l'y retrouver. J'avais dit à Anouk : « Tu descends du train, je vais faire le dernier plan sur toi. C'est une femme seule qui revient à Paris, c'est

1. Film de Claude Lelouch sorti en 2014. Avec Johnny Hallyday, Sandrine Bonnaire et Eddy Mitchell. Un photographe de guerre et père absent va voir sa vie basculer quand son meilleur ami tente de le réconcilier avec sa famille en lui racontant un gros mensonge.

la fin du film, on va finir sur ta solitude… et la vie continue. » Ce petit moment où elle découvre Jean-Louis est magique. Si elle l'avait joué, elle aurait forcément forcé le trait. Elle aurait joué la comédie.

Ce que je demande à mes acteurs, ce que j'essaie de réveiller chez eux, c'est cela : ce dernier instant dont la force colossale leur échappe. C'est ce qu'inconsciemment je garde au montage depuis *Un homme et une femme.* Le plus spontané, le moins joué possible : voilà ce que je leur dis. Ils ont lu le texte, ils l'ont appris, mais je fais tout pour les déstabiliser. C'est la condition pour susciter leur spontanéité. J'organise l'imprévu, comme de faire entrer un serveur fortuit lors d'un tête-à-tête entre un homme et une femme. Peut-être renversera-t-il aussi sur la dame le plat qu'il tient entre les mains… Là, il se passe des choses. Le pot-au-feu sur la robe, ce n'était pas au programme. On se retrouve dans les conditions de la vie.

J'adore déstabiliser. Dans mon prochain film, un couple se dispute violemment à la terrasse d'un café. L'histoire s'envenime jusqu'au moment inattendu où l'homme brandit un revolver, tire sur la femme et se suicide. Ça, ce n'est pas dans le scénario. Ni les acteurs présents ni les passants ne sont avertis. J'espère pouvoir capter leurs visages médusés, la panique, la surprise, l'étonnement, le saisissement, tous ces parfums de vérité que j'ai provoqués. Dans tous mes films, les informations clés, celles qui changent la vie, qui font qu'à un moment donné nous ne sommes plus les mêmes, je les protège au maximum. Je ne les mets pas dans le scénario, seuls ma scripte et moi les connaissons. Parce que l'on peut toujours faire semblant, mais à la seconde prise, quand la première n'a pas marché. En premier lieu, j'essaie de faire du cinéma. Ensuite, c'est du théâtre, on rejoue, mais les répétitions tuent fréquemment l'émotion, tout devient prévisible. Un boxeur, c'est lorsqu'il reçoit un coup qu'il n'a pas prévu que l'on sait s'il va gagner ou s'il va perdre. La vie est plus forte que lui.

Dès que nous connaissons ce qu'il va se passer, que nous sommes sûrs de nous, sous contrôle, c'est moins intéressant. C'est pour cela que la modestie, la simplicité, la spontanéité ont tant de charme. Elles ont un charme fou parce qu'elles sont superbement photogéniques. Mais cela, c'est en vieillissant qu'on l'apprend. Jeune, c'est la frime qui compte, le m'as-tu-vu...

La vraie force du cinéma, c'est sa capacité à jouer une situation une fois et pour la première fois quand au théâtre on la répète tous les soirs. C'est la grande différence. Avec le montage. Au théâtre, il n'y a que des plans-séquences.

Spontanéité

Ce que j'aime le plus dans mes films, ce sont ces figures libres, toutes ces scènes que je serais incapable de refaire. Les figures imposées, je peux les répéter, un assistant peut les reproduire. C'est aussi ce qui m'a plu dans mon voyage en Inde pour *Un+Une*. J'étais plutôt reporter que metteur en scène. J'allais d'un étonnement à un autre, ce sont ces saisissements que j'ai tenté de filmer.

J'ai une chance folle. Je suis au spectacle du monde, au cinéma à longueur de temps, et tout ce que je n'ai pas prévu est tellement plus amusant que ce que j'ai prévu… Définitivement, tout ce que j'ai prévu, je l'ai déjà usé.

J'aimerais être LE metteur en scène de la spontanéité, c'est le mal que je me donne.

T

Treize

« Ce n'est pas un chiffre
que l'on peut mettre entre toutes les mains. »
« Je crois aux chiffres,
ils sont la comptabilité rationnelle de l'humanité. »

Le chiffre treize m'est tombé dessus comme ça, par hasard. J'en avais entendu parler, c'était un chiffre plutôt négatif – les treize à table, cela s'était plutôt mal passé... –, mais il fait partie de ces mystères que je ne souhaite pas démythifier. Quand on vous fait un cadeau, on n'a pas envie d'en demander le prix...

Tout commence en 1960. Je comprends que je vais avoir beaucoup de mal à discuter avec des producteurs pour faire le cinéma dont j'ai envie, que le producteur est une sorte de contrôle fiscal d'un scénario, qu'il a des idées bien précises sur ce qu'il a envie de produire… et que ces idées sont souvent contraires à ce que l'artiste a dans la tête. Je décide donc de créer ma propre société de films et de me lancer dans la production – ce que je déteste –, mais telle est la clé de la liberté.

À l'époque, mon père me donne un petit coup de main, il se propose de prendre quelques parts dans ma société et de m'accompagner chez un notaire à Paris pour les formalités de constitution.

Sur le bureau, tout est prêt. Les statuts sont rédigés, il n'y a plus qu'à y apposer le nom de la société.

N'ayant peur de rien, me disant que le pire n'est jamais décevant – bien que très positif, j'aime assez l'aspect négatif des choses, cela permet de ne pas être déçu –, j'annonce la couleur :

« On va l'appeler Les Films de l'apocalypse. »

Mon père et le notaire sont catastrophés :

« Écoute, Claude, franchement… Une société est là pour rassurer, pas pour inquiéter. C'est important. Tu vas tomber sur tellement de gens méfiants… Dans les affaires, les gens sont suspicieux, les gens sont radins. La pire espèce humaine, c'est le monde des affaires… Fais un petit effort. Avec Les Films de l'apocalypse, tu as l'air de les insulter. »

Ensemble, nous explorons le vocabulaire à la recherche d'un nom plus correct. Tout y passe, jusqu'à la proposition de mon père :

« Appelle-la Les Films Claude-Lelouch.

— Non non non. C'est quand même trop énorme. Je me mets en première ligne... »

L'avocat est agacé :

« Est-ce que vous avez quelque chose contre les chiffres ?

— Non.

— Nous sommes le 13 avril, il est 13 heures et je viens de compter que Claude Lelouch, ça fait treize lettres. Pourquoi ne pas l'appeler Les Films 13 ? »

Voilà qui m'amuse. Enfin un avocat rigolo... Mon père est plus circonspect :

« Tu sais, c'est un chiffre qui peut parfois faire peur à certaines personnes...

— Alors là, je ne suis pas d'accord ! Allons-y pour Les Films 13, c'est parfait. »

Et l'on inscrit Les Films 13 sur les statuts.

Nous quittons les bureaux de l'avocat. Dehors, je me souviens subitement d'avoir garé ma 2 CV dans une rue interdite au stationnement. Je vais sûrement avoir une prune... J'approche de mon emplacement, les pare-brise sont couverts de contraventions, toutes les voitures sont verbalisées... sauf la mienne. Ravi, je remarque incidemment le fronton de l'immeuble me faisant face : je suis garé devant un n° 13 !

C'est formidable. Décidément, ce chiffre me fait un clin d'œil. Un peu comme une femme qui vous sourit, qui vous drague. Et j'aime bien me faire draguer. C'est l'hommage de la rue, l'hommage de la vie, même si cela peut paraître agaçant, c'est malgré tout la preuve que vous êtes séduisant. Mon père et moi nous installons dans ma 2 CV. Je suis enchanté :

« Tu vois, Les Films 13, ça me plaît bien. Parce que c'est venu naturellement.

— Oui, c'est très bien. Il faudrait regarder un petit peu ce que raconte ce chiffre 13. Je sais que dans la religion juive, c'est un chiffre important.

— Écoute-moi : surtout, je ne veux rien savoir ! »

Depuis cette aventure, des centaines de personnes ont voulu m'expliquer les vertus du chiffre treize. Dans la cabale, dans la Torah… Je leur ai toujours dit non. Quand un tour de magie me plaît, je n'ai pas envie que le magicien me révèle l'astuce. Dieu est un magicien. Il ne s'est jamais fait prendre en flagrant délit d'un de Ses miracles, mais Lui aussi a sûrement des trucs que l'on ne connaît pas, qu'Il cache très bien…

Le mystère, c'est important dans la vie. Quand j'aime quelqu'un, quand j'apprécie quelque chose, je n'ai pas envie d'en savoir trop. Nous vivons dans une société qui veut tout démythifier. Un homme et une femme se rencontrent, ils dînent au restaurant. Que font-ils à table ? Ils se racontent leur vie. Ils sont idiots ou quoi ? Ils sont en train de foutre en l'air leur couple ! Dès que l'on en dit trop, il n'y a plus de mystère. On fait le tour de la personne pendant le dîner, si l'on couche ensuite avec elle, on a fait le tour de tout, et voilà, l'affaire est cuite.

Le mystère, c'est comme une histoire. Quand je vais voir un film, je n'ai pas envie que l'ouvreuse me raconte la fin du film parce que je lui ai donné un mauvais pourboire. Le mystère des uns et des autres ajoute un charme fou à la vie, c'est le suspens. C'est pourquoi je suis heureux de ne pas savoir pourquoi le treize m'aime bien. Pourquoi il me protège.

Mais il m'a aussi mis quelques corrections. Souvent. J'ai sorti des films un 13 et cela n'a pas marché. Pour *Édith et Marcel* – un film que j'adore –, j'avoue l'avoir un peu violé. Le titre comptabilisait treize lettres, le film n'a pas pour autant reçu l'accueil espéré. Chaque fois que j'ai provoqué le treize, j'ai eu un retour de bâton. En revanche, il a toujours été élégant quand je ne le cherchais pas. S'il décide d'arriver dans ma vie, s'il suggère les choses, cela se passe très bien. Si c'est moi qui lui suggère, si je vais le chercher, là il n'est pas content.

J'ai remarqué que c'était un chiffre vivant, très susceptible, qui a finalement de l'humour et qui adore faire des surprises. Des bonnes et des mauvaises. Ce n'est pas un chiffre que l'on peut mettre entre toutes les mains. C'est un chiffre qui ne tient pas en place, il me ressemble. S'il devait appartenir à un signe, je pense qu'il serait du signe du Scorpion, comme moi... Mais je sais que si demain je le démythifiais, il se retournerait contre moi. Il m'en voudrait de l'avoir violé.

Lorsque l'on veut savoir, cela ressemble à du viol. Il y a mille et une façons de violer l'Autre, pas simplement par le biais d'une relation sexuelle. Vous pouvez le violer en regardant son portable, en fouillant dans ses poches... Je pense qu'il faut respecter celui ou celle que l'on aime, respecter sa liberté, sa part de mystère. Il faut savoir être élégant, se déshabiller et se rhabiller au bon moment. Quand j'aime quelqu'un, je n'ai pas envie de fouiller dans sa merde, nous en avons tous... L'art d'aimer l'Autre, c'est de ne jamais devenir son espion, jamais se transformer en contrôle fiscal. Ce respect est capital.

Ceux qui aiment Dieu sont obligés de respecter le mystère. Le grand secret. Si nous savions tout sur Dieu, si nous l'avions démythifié, l'aimerions-nous autant ? On se dirait : « Ah oui, c'est logique, c'est normal. Il nous a expliqué Son truc, comment Il a réussi à faire le monde en six jours, d'accord... »

Peut-être pourrait-Il effectivement nous expliquer pourquoi Il a pu le faire en six jours, mais pour l'instant, cela nous fait rêver. Le mystère, c'est magnifique, c'est ce qui fait travailler notre imagination, qui nous donne envie de rester jusqu'à la fin du film pour connaître le dénouement.

Je ne peux parler du chiffre treize sans parler de ce joli chiffre qu'est le sept. On le rencontre partout, la liste est impressionnante de tout ce qu'il fait : les sept merveilles du monde, les sept péchés capitaux, etc. C'est un chiffre solitaire quand le treize est un couple. Tous deux sont omniprésents, tous deux ont rythmé ma vie. Lelouch comporte sept lettres, Claude en possède six : sept et six, cela fait treize. J'ai eu sept enfants, cela compte aussi. Le sept et le treize s'entendent très bien, alors évidemment, lorsqu'ils sont ensemble, c'est un feu d'artifice.

Je crois aux chiffres, ils sont la comptabilité rationnelle de l'humanité. Si un ordinateur extraordinaire, phénoménal, réalisait la comptabilité de l'humanité, le chiffre qu'il obtiendrait serait le résultat de ce qu'est l'humanité. On pourrait le vérifier.

Maintenant, il existe également une comptabilité irrationnelle. Et là, il n'y a pas de chiffres. C'est le mystère total. C'est ce mystère-là que je préfère.

Lors d'un contrôle fiscal, nous sommes officiellement dans la comptabilité rationnelle. Mais à un moment donné, on discute avec le gars, on essaie de lui expliquer le pourquoi et le comment : pourquoi on a été obligé de faire ci, pourquoi on a été contraint à ça… Si l'on tombe sur un contrôleur sensible, intelligent, sentimental, il peut moduler. Si l'on a affaire à un type qui ne pense qu'aux chiffres, on ne peut rien discuter. Il y a donc deux comptabilités dans l'univers : une comptabilité rationnelle qui pourrait nous sortir un chiffre du genre : « Lelouch, ça vaut tant en patrimoine, en intelligence, en sensibilité, etc. » Chacun de nous a son chiffre. Et puis il y a un autre « chiffre », le chiffre de l'éternité. Lui, il met en œuvre une comptabilité à travers le temps, avant, pendant et après notre présence sur Terre. Ce chiffre-là, aucun mathématicien ne peut aujourd'hui le concevoir… C'est une énigme absolue.

U

Un, une

« On ne va pas pouvoir faire
le film avec Anouk. »
« Avec Un homme et une femme,
je suis venu au monde. »

UN homme. UNE femme… *Un homme et une femme*. Ce film a changé ma vie. J'aurais tout aussi bien pu m'arrêter de faire du cinéma. Heureusement, la contrainte sollicite l'imagination. *Un homme et une femme* en est le fruit.

À cette époque, j'ai vingt-six ans et l'avenir devant moi. J'ai déjà réalisé une centaine de Scopitone, tout ce que j'ai fait n'est pas mauvais, il y a même de petits moments qui laissent espérer que ce métier et moi sommes faits pour nous entendre. Avec l'échec des *Grands Moments*, je le sens bien, autour de moi la défiance s'installe. Seul le succès a du succès…

Ce soir-là, au Centre national du cinéma, la projection des *Grands Moments* se passe très mal. Que vais-je devenir ?... Je suis seul contre tous. La seule personne sur laquelle je vais pouvoir compter : c'est moi. La seule personne qui pense que je peux faire ce métier : c'est moi. La seule personne qui a envie de m'aider : c'est moi.

Je m'aperçois à quel point il va falloir que je compte sur moi et moi seul. J'ai subitement envie de disparaître. Ce soir, si la mort venait frapper à ma porte d'une façon ou d'une autre... Je ne suis pas assez courageux pour me suicider, mais l'idée me séduit.

Comme d'habitude lorsque je ne vais pas bien, je prends ma voiture. Il fait nuit, je fonce dans le noir total, vite, très vite, en direction de Deauville via l'autoroute de l'Ouest. Je teste le destin. Et si j'avais un accident... À l'époque, je n'ai pas encore d'enfants, je suis libre, même pour la femme avec qui je vis, ce ne serait pas un sacrifice. Je ne me pose pas encore la question que je me poserai beaucoup plus tard, lorsque je ferai *Itinéraire d'un enfant gâté*.

J'arrive à Deauville en nettement moins de deux heures. Je m'arrête au bord de la plage – impossible d'aller plus loin – et je m'endors là, dans la voiture. Au matin, transperçant le pare-brise, des rayons chatoyants me taquinent le bout du nez. C'est fabuleux d'être réveillé par le soleil, il a des arguments formidables.

J'ouvre les yeux, la lumière est féerique. D'un seul coup, tout resplendit autour de moi. Et puis j'aperçois cette femme qui marche au bord de la plage, à marée basse, accompagnée d'un enfant et d'un chien, loin, très loin. Une jolie silhouette, un enfant qui court, un chien qui gambade, la mer, la lumière… L'image est superbe. Je m'interroge : que fait-elle à 6 heures du matin sur cette plage, avec un enfant ? De si loin, elle a l'air très belle. Ce devait être en septembre, il ne faisait pas vraiment froid.

Je sors de la voiture, je respire un peu, inconsciemment je me dirige vers eux. Je marche, je marche – les marées basses sont amples là-bas, environ deux kilomètres –, au fur et à mesure que je me rapproche, l'idée me vient de raconter ce qu'elle fait là, avec un chien et un enfant. Le projet d'*Un homme et une femme* est né.

Je n'ai jamais eu le temps d'aller jusqu'à elle, je ne saurai jamais qui elle était. À toute allure, je fais marche arrière, je dois écrire l'histoire de cette jeune veuve qui déambule sur la plage à 6 heures du matin. C'est une évidence pour moi : si elle était en couple, elle ne serait pas là si tôt. Je commence à gamberger. J'entre dans la voiture, je n'ai ni papier ni crayon, je fonce dans le seul bistrot ouvert face à la gare de Deauville, et pendant deux heures j'écris *Un homme et une femme.*

J'élabore l'idée qui va nous sauver : une histoire toute simple que l'on tournera à Deauville, un film peu cher, rapide à réaliser. Maintenant, je dois en faire part à Pierre Braunberger, le producteur malheureux des *Grands Moments*.

Cette fois, je suis pressé de rentrer sur Paris. Je conduis aussi vite qu'à l'aller, pour de bonnes raisons cette fois, et je vérifie à l'occasion la force de la nuit et du jour, la force de la lumière. Le voyage aller avait été un cauchemar, au retour, je suis l'homme le plus heureux du monde. Le futur s'ouvre à moi, tout devient possible. Pour la première fois, j'ai le sentiment de tenir quelque chose, je sens qu'il faut aller vite.

À Paris, Pierre Braunberger est encore sous le choc de la veille. Il a passé une nuit cauchemardesque, personne ne veut distribuer *Les Grands Moments*, moi, je lui raconte une idée neuve qu'évidemment, il n'est pas prêt à recevoir.

Il me fait comprendre qu'il n'a pas envie de produire le film :

« Écoutez Claude, en ce moment les histoires d'amour n'intéressent plus personne, les gens ne veulent voir que des polars. »

Je sors de son bureau déçu, tout compte fait ce film est peut-être une mauvaise idée... Je ne fais pas la part des choses, je ne pense pas qu'il n'est peut-être pas en état de la recevoir, que ce n'est ni le bon moment, ni le bon jour, ni la bonne heure...

Je dois en parler à une seconde personne. Pierre Uytterhoeven avec qui j'écris mes films, discute des dialogues et de l'adaptation, est mon homme. Il n'est pas producteur, mais lui trouve l'histoire palpitante. Je me sens légèrement rassuré, je comprends également qu'avec la série d'échecs que j'essuie, je ne vais pas rencontrer beaucoup de vents favorables.

Qu'ai-je de positif aujourd'hui ? Une histoire que je pense bonne, Trintignant qui m'a avoué un jour qu'il aimerait bien tourner avec moi... Je me lance. J'appelle Jean-Louis Trintignant, je lui raconte l'histoire, il la trouve formidable, simple, épurée. Il me confirme sa proposition.

Dès cet instant, la machine se met en route. Mes divers interlocuteurs me disent oui quand je m'attends à des non, comme si ce film était une nécessité tant pour moi que pour le public. Rien ne peut plus m'arrêter.

Trintignant est une vedette, il me faut une femme à sa hauteur. Mon assistant et ami Jacques Villedieu forme un couple formidable avec l'actrice

Simone Paris, une fille charmante, la première cougar que j'ai connue – le mot cougar n'existait pas encore à l'époque. Tous deux sont très potes avec Romy Schneider, ils m'organisent une rencontre.

Romy Schneider s'avère trop actrice pour moi. Je cherche une femme – presque une inconnue –, pas une actrice, c'est très important. Jean-Louis a une idée :

« Tu sais, il y a une actrice extraordinaire. Elle est difficile, compliquée mais... C'est Anouk Aimée. En ce moment, elle tourne surtout en Italie, avec Fellini, on pourrait peut-être lui en parler ? »

Je sens bien que Jean-Louis a envie de travailler avec elle. On appelle Anouk Aimée. Qui nous dit pratiquement oui au téléphone !

Il faut toujours faire la part des choses : à ce moment-là, elle a plus envie de tourner avec Jean-Louis Trintignant qu'avec moi...

À toute allure, j'écris le film – j'en bâtis plutôt les structures – et je décide de le produire, il ne devrait pas coûter cher. Il me faut toutefois de la trésorerie, je n'en ai pas. Encore une fois, les dieux du cinéma vont être avec moi.

C'est Jacques Villedieu qui m'offre la solution :

« Je suis très pote avec Félix Lévitan, le patron du Tour de France, il voudrait un petit documentaire pour l'image du Tour. Tu peux faire le film comme tu le veux. Pas sur la course. Sur la France. »

Nous sommes en été, au mois de juillet-août, je dis oui avec plaisir. J'adore le Tour de France, c'est la métaphore parfaite de la vie. Il y a le peloton, ceux qui en sortent, qui n'arrivent pas à le suivre, et ceux qui y demeurent.

J'appelle ce film *Pour un maillot jaune*. Durant tout le mois de juillet, je suis le Tour à moto sur les routes de France. C'est l'un des moments magiques de ma vie. Je vois la France, le sport, je suis dans le peloton avec les champions… Et je pense à *Un homme et une femme*. J'écris le film.

Le court-métrage de vingt minutes est très réussi, il obtient énormément de succès. Grâce à lui, je gagne un tout petit peu d'argent, mais, avec ce tout petit peu d'argent, j'ai de quoi enclencher mon film.

La machine est lancée. Je produis *Un homme et une femme* avec les bénéfices du court-métrage. Mes dettes ? Je peux les repousser de six ou sept mois, cela me laisse le temps de faire le film, on verra ensuite.

Nous tournerons à Deauville et à Paris pendant trois semaines de décembre 1965. En janvier, accompagné de mon équipe des Scopitone, l'équipe du Tour de France, Patrice Pouget, Jean Collomb, je partirai sur les routes filmer le rallye de Monte-Carlo. Nous y engagerons une Ford Mustang convertible, nous ferons la course pour de bon, Jean-Louis Trintignant et Henri Chemin – l'autre pilote – devant, moi derrière avec ma petite caméra 16 mm.

En ce mois de décembre, tous les signaux sont au vert. La lumière est belle, Deauville n'a jamais été aussi touchante, les rapports entre Jean-Louis et Anouk sont excellents. Cela avait pourtant très mal démarré avec Anouk Aimée…

Anouk et moi partons en voiture à Deauville pour tourner. Je ne lui ai toujours pas raconté l'histoire d'*Un homme et une femme* mais espère en avoir l'occasion sur le trajet. À l'époque, j'ai la voiture de Gérard Sire, mon producteur de Scopitone, une magnifique Mercedes décapotable qu'il m'avait donnée parce qu'il ne pouvait pas me payer les cinquante mille francs qu'il me devait. C'était beaucoup d'argent cinquante mille francs, cela représentait un nombre incroyable de Scopitone.

J'avais patienté jusqu'au jour où je m'étais aperçu qu'il s'était offert cette superbe voiture d'une valeur de cinquante ou soixante mille francs.

J'entre dans son bureau :

« Gérard, tu es gonflé, tu ne me paies pas et tu t'achètes une bagnole comme ça ! Tant mieux, je suis ravi pour toi, mais paie-moi.

— Tu as raison, je suis un con ! Tiens, voilà les clés de la bagnole, elle est à toi, comme ça, tu es payé. »

C'était un génie ce Gérard.

« Arrête tes conneries, je n'ai même pas de quoi mettre de l'essence…

— Eh bien, tu te débrouilles. Prends-la, tu vas la vendre. »

Je prends la voiture, je la conduis, et évidemment je n'ai pas envie de la vendre ! De surcroît, je m'aperçois que cette voiture fait de moi un personnage important. D'un seul coup, je sens la considération autour de moi, les gens qui y montent ne me parlent pas de la même façon. Ils se disent : « S'il a une voiture comme ça, c'est qu'il vaut quelque chose. » À partir de ce moment-là, je donne tous mes rendez-vous dans ma voiture, je dis aux gens : « Ne bougez pas, je passe vous prendre. » J'avais toujours ma chambre de bonne boulevard de Strasbourg… Finalement, je m'aperçois que cette voiture me rapporte beaucoup plus qu'elle ne me coûte. Que d'un seul coup, mon image rassure les imbéciles.

C'est donc dans cette Mercedes décapotable que j'emmène Anouk Aimée à Deauville. La voiture va elle aussi travailler, elle doit me servir pour faire la régie, transporter les acteurs, etc.

Naturellement, comme je conduis vite, cela agace Anouk. Je ne conduis pas vite pour frimer, j'ai besoin d'aller vite, je pilote mieux vite que lentement.

Anouk me demande de ralentir. Je m'exécute et lève le pied. Mais le scénario se reproduit régulièrement. Toutes les cinq minutes, elle me répète d'aller un peu moins vite, un peu moins vite. J'étais parti à deux cents, nous entrons à Deauville à vingt à l'heure.

J'installe Anouk à l'hôtel Normandy – nous avons trouvé un accord formidable, l'hôtel nous prend en charge –, je dois maintenant lui faire part du scénario :

« Il faut quand même que je vous raconte l'histoire, on tourne demain matin… »

Elle est un peu fatiguée et souhaite se reposer :

« Absolument. Venez donc me voir vers 17 heures. »

Je prends note du rendez-vous, j'accueille entretemps Jean-Louis et la petite équipe de court-métrage du Tour de France – moins de dix personnes pour assumer tous les métiers du cinéma –, puis je retourne au Normandy. J'entre dans la chambre d'Anouk, elle m'attend tranquillement, je commence à lui raconter le film… cinq minutes plus tard, elle dort ! J'hésite : soit mon scénario est très ennuyeux, soit elle est très fatiguée. Je sors de la chambre sur la pointe des pieds, dubitatif.

Le soir, tout le monde se retrouve dans un petit restaurant peu cher de Deauville. Jacques Villedieu joue le directeur de production – nous nous sommes tous donné des titres pompeux :

« Claude, comment fait-on pour la scène du bateau ? Auras-tu assez de temps de tournage entre deux marées ? Tu sais qu'il faut rentrer au bout de trois heures.

— Pourquoi, il y a une scène sur un bateau ? intervient Anouk.

— Je n'ai pas eu le temps de vous le raconter tout à l'heure, mais oui, lui dis-je.

— Parce que moi, je ne monte pas sur un bateau !

— Comment fait-on alors ?

— Faites comme Fellini. Des transparences !

— Je n'en ai pas les moyens. Et puis je ne fais pas le même cinéma que Fellini…

— De toute façon, je ne monte pas sur un bateau. Voilà », finit-elle par assener.

Elle a décidé qu'elle ne monterait pas sur un bateau, point. Un caprice. Je comprends soudain qu'elle a quelques inquiétudes : une petite équipe, une histoire qu'elle connaît à peine, pas de projecteurs ni d'accessoires habituels du cinéma…

J'ai beau insister, elle résiste.

« Non, je ne monterai pas sur un bateau, faites autre chose », répète-t-elle.

Je ne cède pas. La scène prend des proportions telles que je me dis que je ne vais pas pouvoir tourner avec cette femme. Avec elle, tout va être compliqué. Elle est belle, elle est lumineuse, c'est la femme que l'on a envie d'avoir dans ses bras, mais en même temps, quelle chieuse !

Entre 21 heures et minuit, je m'entretiens avec son agent :

« Écoutez, on ne va pas pouvoir faire le film avec Anouk. Si elle doit me créer des problèmes de la sorte, je vais la remplacer. »

Il me faut une femme pour le lendemain matin. Fébrile, j'appelle dans la nuit toutes les actrices de Paris – une bonne dizaine –, même Annie Girardot avec qui je n'avais jamais tourné mais que je connaissais un peu.

Évidemment, à 23 heures, elles sont toutes au restaurant ou en boîte. Et puis je suis un inconnu, je ne suis pas le Claude Lelouch d'aujourd'hui. Fellini peut bien appeler n'importe qui à minuit, les gens sont à l'appel à 7 heures…

À 2 heures du matin, surprise, Anouk m'appelle :

« Claude, ça a très mal démarré entre nous mais faisons donc un essai demain matin. On tourne une scène, je vois si ça me plaît. Vous, vous voyez de votre côté. Si cela ne vous plaît pas, on arrête, si cela vous plaît, on continue. »

Le lendemain matin est magique. Nous tournons la première scène, Anouk donne tout, elle est royale. Je comprends qu'elle a besoin d'être aimée. Il lui faut des déclarations d'amour, c'est son moteur. Pour la scène du bateau, elle aurait voulu que je lui dise : « D'accord, on ne fera pas le bateau. »

Rassurée sur l'amour que je lui porte, Anouk me fait le cadeau de sa vie. Tout se passe merveilleusement entre elle, Jean-Louis et Pierre Barouh – dont elle tombe amoureuse et qu'elle épousera en avril 1966. Pour la première fois de ma vie sur un long-métrage, les choses sont simples. Le tournage se fait en trois semaines, j'ai la vie comme assistant, dès que je rencontre un obstacle, tout s'arrange comme par magie… Une sorte de vent positif emporte tout sur son passage, c'en est presque inquiétant. Comme s'il y avait une urgence pour que ce film se fasse…

On ne sait pas encore que l'on va décrocher la Palme d'or, l'Oscar du meilleur film étranger, l'Oscar du meilleur scénario, le Golden Globe… On ne peut imaginer cela, mais les rushes que l'on visionne sont magnifiques, nous voilà rassurés. Et puis il y a la musique de Francis Lai. J'ai toujours enregistré la musique de mes films en amont, c'est un acteur principal du film. Quand on la compose après, c'est une pièce rapportée, cela se sent. *Un homme et une femme,* c'est une petite comédie musicale, j'ai un peu construit le film comme un Scopitone.

Avec Claude Barois, le monteur de mes Scopitone, le montage se présente pour le mieux. Nous avons tourné le film en trois semaines, nous le montons dans le même laps de temps.

Ce soir-là, je termine vers 22 heures ma journée de montage, je suis très fatigué mais je décide malgré tout de voir le film. Il ne faut jamais voir un film quand on est fatigué, on ne perçoit que le mauvais côté...

Je découvre *Un homme et une femme* pour la première fois, et là je me dis : « J'ai fait une merde de plus. » Je vois tout en noir. À nouveau pendant la nuit, j'ai envie de mourir. J'attends douloureusement le lendemain matin, je retourne à la salle de montage, coupe les deux petites choses qui m'avaient gêné et visionne le résultat... C'est un chef-d'œuvre ! Je suis fou de joie.

J'ai produit le film mais je n'ai pas encore de distributeur, je dois en trouver un.

Par le plus grand des hasards, François Reichenbach, un copain metteur en scène que j'aime beaucoup, membre de la famille de Pierre

Braunberger et aussi son chouchou, passe à la salle de montage.

« Je fais une projection vers 16 heures au Club 70. Si tu veux, je te montre le film. »

François est d'accord. Mes bureaux se situent rue Lauriston, au Club 70, une petite salle de projection où les gens entrent et sortent librement. J'y croise Bob Hamon, l'homme qui n'a jamais réussi à vendre mes films précédents.

« Comment vas-tu ? Alors, il paraît que tu as fait un nouveau film… Quand me le montres-tu ? me demande Bob.

— Écoute, je fais une projection tout à l'heure pour Reichenbach. Si tu veux venir… »

Il est 16 heures, j'ai dans la salle Reichenbach et Bob Hamon. Deux heures plus tard, ils sortent en larmes et me prennent dans leurs bras :

« Tu as fait un chef-d'œuvre, c'est fabuleux, me dit Bob Hamon. Si je te le vends, tu me donnes 10 % ? »

Je m'empresse de répondre :

« Évidemment !

— Il faut absolument le présenter à la sélection pour Cannes », ajoute Reichenbach.

C'est un peu court, je n'ai pas fait la demande à temps, mais Reichenbach appelle tout de même la Commission de sélection :

« Je viens de voir un film formidable, il faut absolument que vous le voyiez.

— C'est fini, c'est terminé.

— On vous apporte le film ce soir, vous allez voir. »

La Commission de sélection pour Cannes découvre le film vers 10 heures, le lendemain matin. À midi, Maurice Rheims, le papa de Bettina Rheims, m'appelle :

« Claude, je viens de voir ton film, c'est magique, c'est merveilleux... La Commission est emballée. On a décidé à l'unanimité que tu représenterais la France à Cannes. »

Cette année-là, il y avait pourtant du lourd : Alain Resnais, Rivette et sa religieuse...

J'ai pensé que le cancre que j'étais n'était pas si cancre que cela... J'étais content pour tous mes profs, pour tous ces gens qui m'avaient prédit que je finirais balayeur, ce que l'on me disait à l'école. Depuis, j'ai beaucoup de tendresse pour tous les balayeurs, pour les personnes qui ramassent les poubelles. J'aurais dû être parmi eux.

De son côté, Bob Hamon prévient immédiatement ses copains des Artistes Associés. Il vient de voir un film extraordinaire qui va révolutionner le cinéma. La projection a lieu l'après-midi même, dans leurs locaux. Résultat : ils prennent le film pour le monde entier. En quarante-huit heures, tout est réglé. Le montage et le destin du film.

Les uns après les autres, *Un homme et une femme* franchit tous les obstacles. Ceux qui le voient sortent emballés, enthousiasmés. On passe de l'enfer au paradis, et l'on s'habitue très vite au paradis ! Ce rêve éveillé ne va sûrement pas durer, me dis-je. Trop, c'est trop, tu vas devoir te réveiller à un moment donné...

Mais le film va de miracle en miracle, des projections à Cannes – un immense succès – à la Palme d'or, aux Oscars, au Golden Globe, aux récompenses internationales, quarante-deux au total... Aujourd'hui encore, nombreux sont les touristes qui viennent à Deauville grâce à *Un homme et une femme*. Pour le film, mais aussi pour la musique mondialement célèbre de Francis Lai.

Avec *Un homme et une femme*, je suis venu au monde.

Vie

« Je suis dans les prolongations,
j'espère bien faire les tirs au but. »
« Le présent est jubilatoire. »

Merci la vie[1], voici un titre de Blier dont je suis vraiment jaloux ! J'aurais échangé tous mes titres contre celui-là…

Quand je dis merci à la vie, je dis merci de ce spectacle, tant pour sa beauté que pour ses horreurs. Maintenant je le sais, dans ce monde cruellement merveilleux, les beautés passent par les horreurs. C'est fou comment les forces du mal sont aussi fortes, aussi belles que les forces du bien, comment l'entraînement est plus important que le match… C'est parce que l'on se fait du mal à l'entraînement que l'on va gagner, parce que l'on a souffert

1. Film de Bertrand Blier sorti en 1991.

tout ce que l'on a souffert que l'on est en mesure de déguster la victoire. Trois secondes de bonheur peuvent justifier soixante ans d'emmerdements. Les récompenses, qui s'en souvient ? Ceux qui les ont eues. Il n'y a que moi qui me souvienne des Oscars de 1967[1]...

Le type qui a sué sang et eau pour atteindre le haut de L'Alpe-d'Huez, qui a failli mourir en arrivant parce qu'il ne pouvait plus respirer, lorsqu'on lui met le maillot jaune, c'est le plus beau jour de sa vie. Le tricheur, lui, ne peut rien déguster. Il arrive le premier mais il vit un cauchemar. Il endosse le maillot jaune, il fait semblant de sourire, il a peur d'être démasqué. Non seulement il s'est tapé le col, mais en plus son plaisir est gâché. Moi qui suis observateur, je voyais bien que Lance Armstrong[2] n'avait pas la joie qu'il aurait dû avoir. Sans en faire l'analyse, je voyais bien qu'il minimisait sa victoire, il semblait pressé, il fuyait les journalistes... Quel spectacle !

Il faut bien reconnaître que les tricheurs sont superbement photogéniques. Si les plus grands succès cinématographiques en font l'apologie, c'est

1. En 1967, Claude Lelouch a remporté les Oscars du meilleur film étranger et du meilleur scénario pour *Un homme et une femme*.

2. Le célèbre coureur cycliste américain Lance Armstrong a reconnu dans une interview de 2013 avec Oprah Winfrey avoir consommé des produits dopants au cours de sa carrière.

parce que tout tricheur est invariablement démasqué. Celui qui le confond, c'est un héros. S'il n'y avait pas de tricheurs, il n'y aurait pas de héros, la moitié des professions s'écrouleraient.

Je suis admiratif du monde, de ses sublimes contradictions, je ne vois pas ce qu'il faudrait éliminer. Le jour donne la force à la nuit, la nuit donne la force au jour. Il faut des salauds et des braves gens, des tricheurs, des violeurs. S'il n'y avait pas de violeurs, on n'apprécierait pas autant ceux qui ne violent pas, ceux qui respectent l'autre. Je ne souhaite évidemment à personne de se retrouver dans un train vers l'extermination, d'avoir un accident de car idiot ou d'être pris dans un tremblement de terre. Quand l'horreur atteint ces sommets, on a sûrement envie de mourir. Mais pour tous ceux qui échappent à ces catastrophes, ce sont des exemples fantastiques de la chance qu'ils ont eue d'être passés au travers.

S'il n'y avait que du bien, on s'ennuierait à mourir. Le vrai plaisir de la vie, ce sont les surprises. Les bonnes et les mauvaises. Lors d'une soirée avec des gens agréables, c'est parce qu'un électron libre va oser exprimer une horreur à table que de la politesse on passe à l'exigence. Tout ce qui met le feu, tout ce qui fait scandale mérite le zapping, tout ce qui est normal n'est pas sélectionné.

C'est terrible, c'est très difficile à expliquer aux enfants, mais dans la vie, tout a un prix. Tout, tout, tout. Chaque seconde de liberté, de bonheur, d'extase. Il faut pouvoir se l'offrir, pour une fois, ce n'est pas avec de l'argent… La seule chose gratuite, c'est Dieu. Lui seul fait des cadeaux. Ou pas.

Comment leur expliquer l'idée du travail ? Qu'à un moment donné, il faut se faire un petit peu mal, se méfier de tout ce qui paraît simple. La vie aime les bûcheurs, elle a plein de bonnes idées mais toutes ont besoin d'être travaillées, elle ne va pas les confier à des fainéants. Le talent, c'est l'idée, mais il n'y a pas de talent sans travail. La vie est un jeu compliqué qui permet de ne pas voir le temps passer.

Comment leur expliquer que nous sommes tous les employés d'une entreprise qui s'appelle l'Univers, qu'il faut être bon élève, participer à l'atmosphère de la maison pour que l'on vous garde ? Dès que vous devenez un boulet, dès que vous ne servez plus à rien, on vous jette. Moi, j'ai envie que l'on me garde. Je me dis : « Il faut que le patron soit content de toi, tu dois travailler un petit peu plus que d'habitude, être encore meilleur qu'avant. » C'est la règle de la vie, la règle du monde dans lequel nous vivons. Pourquoi garderait-on un type qui ne fait plus avancer les choses ? Lorsque vous devenez un emmerdeur de la vie, la vie vous envoie votre lettre de licenciement. C'est pour cette raison que tous ceux qui crachent dans la soupe risquent de la recevoir plus tôt que prévu.

Ce jeu de la vie, je dois bien reconnaître qu'il est cruel. Comme tous les jeux, il est pollué par les tricheurs qui fichent la partie en l'air. C'est la maladie du monde, la première dont il souffre. Dès que l'on triche en amour ou en affaires, dès que l'on ne respecte pas la règle d'un jeu, on perd pied, on ne sait plus où on en est. Dans un jeu, les plus forts, les plus malins, les plus courageux devraient gagner, la vie aime les beaux joueurs. Mais un tricheur peut à un moment donné fausser la donne...

Il faut savoir être un bon perdant. Les bons perdants fabriquent les gagnants de demain. Mandela disait : « Je ne perds jamais. Soit je gagne, soit j'apprends. » J'ai toujours été un bon perdant, j'accepte de perdre, même si cela me fait du mal. Jamais je n'ai dit : « C'est injuste. » Non, lorsque je perds, je sais que j'ai besoin d'apprendre, de retourner à l'école.

À court terme, je pense que nous avons tous plus ou moins ce que nous méritons. L'injustice règne, mais, avec le jeu des compensations, les riches ne sont pas à l'abri des soucis, les gens beaux ne sont pas à l'abri d'être cocus... Il n'y a pas de sécurité.

Le long terme, lui, est bon pour tout le monde, parce qu'on a le temps. Sur plusieurs vies, nous sommes égaux, tout ce qui nous arrive est pour notre bien. C'est ma base de jeu.

Mais pour jouer au jeu de la vie, encore faut-il être vivant. Tant que vous êtes vivant, vous avez le droit de jouer, vous avez des jetons. Ce qui me fait le plus peur, la pire des punitions ? La case maladie, avec toutes ses conséquences. Vous êtes sur la touche, vous ne pouvez plus jouer, c'est le hors-jeu. Si vous guérissez, vous avez le droit de retourner dans le jeu, mais il se peut aussi que l'on ne vous donne pas cette possibilité…

La maladie, c'est vraiment le scénario qui me fait le plus peur. Lorsque je feuillette les journaux et y lis l'espérance de vie masculine – soixante-dix-huit ans et demi –, cela fait un choc. J'y suis. Là, normalement, je devrais quitter la circulation. Après quatre-vingt-dix minutes, le match est fini. Mais il y a parfois des prolongations, puis des tirs au but… Moi, je suis dans les prolongations, j'espère bien faire les tirs au but !

Pour ne pas être hors jeu, j'ai protégé ma santé toute ma vie. J'aime le jeu de la vie, la partie m'intéresse, j'ai envie d'y jouer le plus longtemps possible.

D'autres n'aiment pas le jeu de la vie, ils se suicident. En buvant, en fumant, en prenant des drogues. Ils le savent. Ils sont conscients qu'ils risquent de prendre un carton rouge et d'être exclus du terrain.

Il ne faut pas oublier toutefois que nous avons tous rendez-vous au même endroit. Et que cet endroit est un sacré point d'interrogation. Est-ce la récompense suprême : en une seconde, tous nos emmerdes disparaissent, tous nos problèmes sont réglés, tous, tous, tous ? Comme dirait Brassens, j'aurai plus jamais mal aux dents[1]. Le prix à payer, c'est de ne plus avoir droit au spectacle de la vie. Découvrirons-nous un autre spectacle derrière ?... Je le pense. Cependant, si nous en étions convaincus, nous nous y précipiterions en courant. Comme ce n'est pas le cas, que je n'ai aucune envie de recevoir ma lettre de licenciement, je fais l'école buissonnière pour y arriver le plus tard possible. Je prends le chemin le plus long, je fais des détours, des contours, des zigzags – seule la marche arrière est interdite. Je protège mon quota de chances, nulle envie de l'épuiser aux jeux de hasard, de le gâcher au casino.

Je me souviens d'un soir à Las Vegas, nous tournions *Un homme qui me plaît* avec Belmondo. Nous avions sympathisé avec le directeur du casino et nous apprêtions à aller jouer quand celui-ci nous en a fermement dissuadés : toutes les tables étaient truquées ! Le jeu de la vie est-il truqué lui aussi ? Ne comptez pas sur moi pour répondre à cela...

1. Paroles extraites de la chanson *Le Testament*.

J'aime la vie, elle est comme la météo : après les nuages, le soleil revient. D'accord, c'est un cliché terrible, mais on le sait bien, il y a des jours où l'on a envie de mourir, ou presque – comme dirait Pierre Barouh, il y a des années où l'on a envie de ne rien faire[1]. Et puis il y a des jours où l'on a envie de manger le monde.

Aujourd'hui, la météo perd un peu de son intérêt parce qu'on la prévoit de mieux en mieux, du moins à court terme. Eh bien, moi, je ne suis pas client. Je ne désire pas qu'un magicien m'explique comment il a fait passer la petite boulette d'une main à l'autre.

Quand j'étais petit, j'adorais jouer au flipper. Un jour, j'ai trouvé le moyen de déclencher les parties gratuites en tapant dessus. D'un seul coup, il ne me faisait plus que des parties gratuites : ce n'était plus drôle du tout ! Je ne pouvais ni jouer ni me ruiner, il n'y avait plus aucun danger.

J'aime le suspens, j'aime les surprises, je ne demande pas à l'ouvreuse de me raconter la fin du film : je crois à la force du présent comme seule valeur sûre de la vie.

Le futur, c'est l'aventure, il faut être très courageux pour l'affronter. Il n'est pas reposant, il

---

1. Célèbre slogan de Pierre Barouh pour son label de chansons françaises Saravah.

ne donne aucune réponse. Le passé en fournit, mais en règle générale elles ne nous intéressent plus. C'est drôlement bien fichu… La seule chose à laquelle nous avons vraiment droit, c'est le présent.

Le présent est jubilatoire, personne ne peut nous l'enlever et il ne vieillit pas. Ma mémoire est une mémoire du présent, une mémoire instinctive. Cela peut paraître idiot, mais je suis tellement ancré dans le présent et le futur que le passé, c'est comme prendre un mort dans ses bras… Et ce n'est pas agréable de prendre un mort dans ses bras, c'est même assez désespérant.

Le présent a toujours raison. Quels que soient les raisonnements ou les théories que l'on élabore. Il est aussi très critique : si je bois un café, que je le trouve spécialement bon, c'est en comparaison de tous les cafés que j'ai bus. Je ne peux pas dire que ce café est bon si je n'en ai pas bu des milliers avant. Tout est ainsi.

Je suis un peu comme un paysan, je sens des choses. Je ne suis ni assez savant pour raisonner de travers, ni assez érudit pour prévoir longtemps à l'avance. Mais je suis assez malin pour utiliser le présent. C'est le cinéma que je pratique. J'espère que mes derniers films seront les plus intéressants parce qu'ils seront le résultat de cinquante années de recherche.

Je ne le répéterai jamais assez, je suis vraiment admiratif du monde dans lequel nous vivons. De la beauté, de la laideur, de l'injustice, de l'amour, du désamour… Je me dis : « Que cherche-t-on ? »

Pour l'instant, on expérimente les pays, les langues, les monnaies, les villages, les hymnes nationaux… Un jour, c'est inexorable, il n'y aura plus qu'un seul pays, la Terre, une seule nationalité, les Terriens, un seul président, une seule monnaie… Les richesses appartiendront à tous, il faudra les partager. Le communisme de la Terre, c'est pour demain, on ne s'en tirera pas autrement. Cette fameuse race supérieure vantée par Hitler est en train de naître. Mais elle verra le jour de la mixité de toutes les races et non de l'élimination du métissage.

On se déplacera tellement vite que les distances seront abolies. Il faudra reconsidérer les douanes, les passeports… tous ces trucs de ringards. Les hommes et les femmes seront de moins en moins distincts, de moins en moins jaloux en conséquence. C'est ainsi que l'on arrivera à la paix. En abolissant les différences, en supprimant la jalousie, le terreau de toutes les guerres.

Le monde va changer à une vitesse incroyable mais il faudra des siècles et des siècles pour le mettre au point. En voulant le simplifier, le jeu de la vie va se complexifier. Un seul président pour la Terre… Nous avons déjà des difficultés à en trouver un dans chaque pays ! Pour l'instant, les patrons sont plutôt décevants. Mais cela fait partie du jeu, un gigantesque Monopoly, une colossale partie d'échecs. Si le processus de la vie éternelle existe, je vais pouvoir participer à ces complications, les filmer…

Ce grand secret de la vie, il est formidable. On ne saura jamais d'où l'on vient et où l'on va. Le big bang est un joli concept mais il ne tient pas la route. Si l'on savait la vérité… Imaginez que nous connaissions le grand secret de la vie. Que nous sachions vraiment d'où nous venons, où nous allons… Ce serait sinistre ! Tout autant que d'aller voir un film dont on a lu le scénario ou que l'on a déjà vu vingt fois…

Le mec qui a inventé le jeu de la vie, chapeau, c'est un génie !

Western

« Il y a les gentils et les méchants…
C'est le B.A.BA de la vie. »
« C'est vraiment ce qui symbolise
le mieux l'Amérique. »

Le western, je ne m'en suis jamais lassé. C'est le genre que j'aime le plus dans le cinéma américain. Avec les comédies musicales.

Ce qui me plaît, c'est que c'est vraiment un truc pour les enfants. L'époque des bâtons dans l'apprentissage de l'écriture. Le contraire de la philosophie qui tente d'expliquer l'inexplicable. Le western nous enseigne ce qui est évident, basique, ce qui fait qu'une ligne droite est droite, que la vigilance est un comportement permanent, que la moindre seconde d'inattention peut vous être fatale, qu'il faut toujours dormir avec un revolver sous l'oreiller, être courageux… C'est ce que j'aime. Ce raccourci saisissant qui apprend aux gamins, aux gens naïfs, les lois de la vie ou en tout cas celles qui permettent de survivre.

Mes sept enfants, je les ai tous éduqués au western, je leur en ai donné le goût : « Vous allez voir, c'est basique, c'est simple, on ne peut pas faire plus simple. Il y a les gentils et les méchants, ceux qui trichent et ceux qui ne trichent pas. C'est le B.A.BA de la vie, et la vie, c'est un jeu. »

L'idée principale du western, c'est le *gunfight*[1]. Il faut être le premier à tirer, le premier à frapper. Comme dans la vie. Dans une bagarre de rue, c'est celui qui frappe le premier qui a raison. Mais on ne tire pas sur quelqu'un s'il n'est pas armé, comme on ne tire pas non plus dans son dos, sinon on vous pend. C'est palpitant parce que, tout en étant monstrueux – il s'agit tout de même de tuer l'autre –, il soumet les héros à un code de l'honneur. C'est aussi le cas de certains films de gangsters, de films sur la mafia. Certes, ce sont des bandits, des mafieux, mais ils ne tuent pas s'ils n'ont pas un certain sentiment de justice. Le type qu'ils descendent, c'est évidemment un traître, une planche pourrie. Il fait forcément plus de mal à la société que de bien.

---

1. Nom donné aux phases de fusillades effrénées, acrobatiques et élégantes.

Et puis dans le western, on essaie toujours de défendre le plus faible. De John Wayne à Burt Lancaster en passant par Kirk Douglas, toutes les stars ont joué le rôle central et sympathique de shérif. Ils accrochent cette étoile qui, dans un monde de voleurs et de trafiquants, symbolise la loi et l'on comprend mécaniquement que le droit est utile.

Le western, c'est une métaphore. Qui n'a pas rêvé une fois dans sa vie de tuer les méchants ? Il y a des tas de gens dont on se dit que s'ils n'étaient pas là, la vie serait plus facile. Dans *Un justicier dans la ville*[1], Charles Bronson se transforme en justicier, il parcourt les rues de la ville pour retrouver les coupables du meurtre de sa femme et des tortures infligées à sa fille. Il va buter tous les salopards parce que la police ne fait rien. C'est un sujet terrible et fascinant. Quand la justice ne peut être rendue, on a envie de la rendre soi-même, de se substituer à la justice officielle qui prend trop de temps et trop de gants. Et pour cela, il faut galoper, se tirer dessus, recevoir des flèches… C'est répétitif.

Évidemment, c'est aussi terriblement macho. C'est même le sommet ! Les femmes sont des chanteuses, des danseuses, des putes… On voit le chemin parcouru.

1. Film policier américain réalisé en 1974 par Michael Winner.

Mais ce qui m'intéresse d'abord, ce sont ces parfums d'aventure, ce contact avec la nature, les grands espaces, les chevaux... C'est capital. D'ailleurs, rien ne peut se faire sans les chevaux. Le cheval, c'est l'équivalent de la voiture. Les gens ont besoin de passer deux heures à galoper et tous les prétextes sont bons.

La musique, elle emballe. Elle emporte le mouvement. Ennio Morricone[1] est aussi important que Sergio Leone[2]. Quant à Dimitri Tiomki[3], il a fait pour les westerns américains des musiques absolument formidables.

C'est vraiment un truc américain, le western. Chaque fois que les Italiens ont essayé – le western spaghetti –, ils ont fait autre chose. Des récréations. Cela m'a amusé mais ne m'a jamais convaincu. Je reconnais le talent de Sergio Leone, la valeur du metteur en scène. Il est peut-être le plus malin de nous tous parce qu'il a su récupérer et relancer un genre en chute libre. C'est un peu le Melville[4]

---

1. Compositeur et chef d'orchestre italien réputé pour ses musiques de film et en particulier celles réalisées pour son ami Sergio Leone et ses westerns : *Pour une poignée de dollars – Le Bon, la Brute et le Truand – Il était une fois dans l'Ouest – Il était une fois la révolution.*
2. Réalisateur et scénariste italien, père du western spaghetti.
3. Compositeur et producteur ukrainien.
4. Réalisateur français. Jean-Pierre Melville a choisi son pseudonyme en hommage à l'écrivain américain Herman Melville. Ses films sont devenus pour la plupart des classiques du cinéma français.

italien. Tous deux sont tellement influencés par le cinéma américain qu'à un moment donné, ils ont envie de le caricaturer. C'est intéressant pour des gens comme moi qui ont tous les codes du western, mais ce ne sont pas les westerns dont je me souviens comme *La Chevauchée fantastique*[1] ou *Rio Bravo*[2], que je fais rejouer à Johnny Hallyday et Eddy Mitchell dans une scène de *Salaud, on t'aime.*

Le vrai western, c'est une philosophie américaine. C'est vraiment ce qui symbolise le mieux l'Amérique, l'Ouest américain, ses chevaux, sa campagne. Dès que le cinéma a existé, il a fait des westerns. Le patron, c'est John Ford. Avec Howard Hawks. Il n'y a rien à jeter. Ils n'ont pas inventé le genre mais c'est vrai que John Ford, Monument Valley[3] et John Wayne forment un trio indissociable. John Wayne, c'est le cow-boy type. Ensuite, on a décliné le cow-boy avec des acteurs un peu plus intellectuels comme Kirk Douglas, Burt Lancaster ou Gary Cooper, des acteurs qui naviguaient aussi dans des films un peu plus ambitieux. Tous ont fait leur western parce que c'est un genre incontournable qui touche le public le plus simple, celui qui va au

1. Western réalisé par John Ford en 1939. Constitue la quintessence du genre.
2. Western réalisé par Howard Hawks en 1959.
3. Située à la frontière entre l'Utah et l'Arizona, la vallée fut popularisée par John Ford dans *La Chevauchée fantastique* (1939).

cinéma pour la première fois. En outre, ce qu'il y a de formidable dans le western, c'est que même les intellos y plongent ! Quand ils n'ont plus rien à dire dans les films à ricochets, ils nous inventent toujours un bon vieux western comme s'ils s'excusaient d'avoir été un peu trop ambitieux...

J'ai aimé tout John Ford. C'est drôle mais lorsqu'il fait *L'Homme tranquille*[1] beaucoup plus tard, c'est toujours la même philosophie qui est en œuvre, celle du western. Seule la femme a évolué. Le personnage de Maureen O'Hara explique que maintenant, les femmes ont leur mot à dire. Qu'elles commencent à se battre. Les westerns ont grandi, l'Indien est devenu le gentil, le Blanc, le méchant. L'époque où les Indiens étaient des enfoirés est révolue. Ils sont passés de méchants à gentils avec le temps qui passe, avec Marlon Brando.

Le western se décline mais on en a tellement produit que c'est devenu un genre très difficile. Avec les polars, ce sont les deux genres du cinéma les plus représentés. Le polar sûrement plus, la production ne se tarit pas, il y en a tout le temps, à la télé, partout... Mais on fait toujours du western. Tarantino en a fait un : *Les Huit Salopards*. Un peu

---

1. Film américain réalisé par John Ford en 1952, avec John Wayne et Maureen O'Hara.

excessif parce qu'il n'y a que des salopards, mais Tarantino, c'est un peu le Sergio Leone du cinéma américain. Son amour du cinéma lui permet de traiter tous les genres qui l'ont excité en tant que spectateur. C'est cela que j'aime dans Tarantino : c'est un spectateur qui renvoie l'ascenseur. Il dit merci au cinéma et rend hommage au public. Ce n'est pas un visionnaire, il ne nous propose pas une représentation du monde à long terme comme Federico Fellini, Orson Welles ou Michael Haneke en ce moment, ces metteurs en scène qui essaient de nous annoncer les lendemains.

The Revenant, le film d'Iñárritu, est aussi un western. Le premier des westerns, un western d'avant les cow-boys, avec un déchaînement de violence inouï, une peur de rien. La mise en scène y est plus forte que l'histoire – on ne voit pas très bien comment quelqu'un peut se sortir de tant de malheurs accumulés –, mais elle nous confirme qu'Iñárritu est aujourd'hui un des grands metteurs en scène au monde, qui sait se servir d'une caméra.

Quand je fais *Un autre homme, une autre chance* avec James Caan, j'essaie de replacer *Un homme et une femme* dans l'Ouest. Il est certain que c'est davantage une histoire d'amour qu'un western, c'est le défaut de ce film. Ceux qui pensaient voir un western ont été un peu déçus ; trop d'histoire d'amour ; ceux qui s'attendaient à une histoire d'amour se demandaient pourquoi tant de western. Pour le public, c'est un film boiteux, mais je l'aime beaucoup. Il allie mon affection pour le genre et ma passion pour l'amour. C'est le western que j'avais envie d'aller voir, celui où les femmes tiennent un rôle important, à égalité avec les hommes.

Le western a fait ses preuves, c'est certain. Aujourd'hui, il n'est plus à la mode, mais qui sait ? Si demain matin un grand metteur en scène avait une vision…

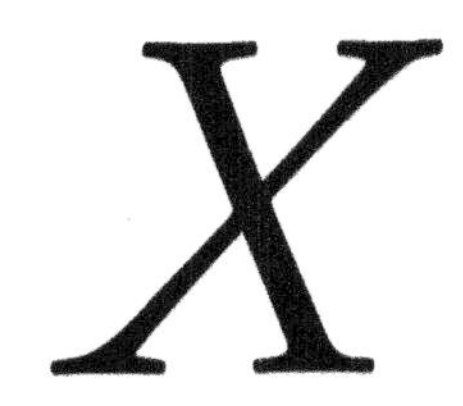

.XLS[1]

« Quand je fais Un homme et une femme,
le film coûte des cacahuètes. »
« Je suis tombé sur des escrocs. »

Les données financières d'un film ? C'est vraiment pour qui a envie de les lire ! Et de les comprendre… Il y a le budget que l'on annonce, c'est légitime. Et puis il y a le budget réel, et lui… Je crois que c'est une des rares professions où il y a un tel décalage entre les deux.

Le budget que l'on annonce prévoit tout. Même les imprévus. On connaît les ratios : 10 % de frais généraux quoi qu'il arrive. Le budget réel ? Soit il est au-dessus, soit il est au-dessous. Jamais dans

1. Extension de nom de fichier pour les tableurs au format Excel. Ces tableurs permettent le traitement automatisé de données financières en particulier.

l'histoire du cinéma, le budget réel d'un film n'a correspondu au budget initialement prévu. Jamais. C'est impossible. Trop d'événements que l'on ne peut anticiper, trop de paramètres inchiffrables entrent en ligne de compte. Vous prenez une semaine de pluie, que se passe-t-il ? Le tournage est arrêté pendant une semaine… mais vous continuez à payer l'équipe. Le technicien engagé pour dix semaines, il fait ses dix semaines quoi qu'il arrive. C'est excitant, c'est formidable, mais c'est vraiment le casino.

Un budget de cinéma, c'est une idée. Vous voulez louer une salle de danse pour votre décor : que vaut-elle ? Selon le propriétaire sur qui vous tombez, le tarif peut varier de cinq mille euros la journée à dix mille. Pourquoi un tel décalage ? Comment chiffrer une idée ? Dans le budget d'un film, il y a le rêve. Et il est très difficile d'évaluer le prix d'un rêve. Ce qui va faire rire, ce qui va faire pleurer. Combien vaut un rire ? Cinq euros, vingt euros, mille euros ? À partir de quel chiffre fait-on rire ? Personne ne le sait. Combien vaut la chair de poule ? C'est ce qu'il y a de mieux la chair de poule, j'aimerais bien pouvoir m'en acheter à chaque séquence. Mais on ne connaît pas son prix. Ce peut être rien, ou presque rien. On peut faire pleurer avec rien alors que l'on dépense une fortune sur un gag énorme qui ne fait s'esclaffer personne.

Quand je fais *Itinéraire d'un enfant gâté*, nous avons fait le tour du monde, nous avons pris des avions, pourtant la scène dont tout le monde se souvient[1], nous l'avons tournée avec deux caméras, dans une chambre de bonne à Paris. La scène la moins chère est devenue une scène culte !

Lors de la célèbre scène de l'accident du *Corniaud*[2], Gérard Oury fait percuter la 2 CV de Bourvil par la Rolls Royce de Louis de Funès. Toute la 2 CV se disloque au moment de l'impact, laissant Bourvil seul au volant. Ça, c'est un gag cher. Mais Jacques Tati nous a fait rire avec *Jour de fête*[3], et le film n'a rien coûté. Il s'est ruiné par ailleurs avec *Playtime*[4], qui nous a moins fait rire.

C'est valable pour lui, c'est valable pour moi. Quand je fais *Un homme et une femme*, le film coûte des cacahuètes. C'est pourtant celui qui a le plus rapporté aux Films 13. Encore aujourd'hui, il reste le plus rentable de tous mes films. Puis je fais *Les Misérables* où je reconstitue la Seconde Guerre mondiale. Et là je gagne moins d'argent qu'avec *Un homme et une femme.*

---

1. Célèbre face-à-face entre Jean-Paul Belmondo et Richard Anconina dans une chambre d'hôtel. Le premier apprend au second à dire « Bonjour » et lui délivre au passage une véritable leçon de vie. *Itinéraire d'un enfant gâté* est sorti en 1988.
2. Film de Gérard Oury sorti dans les salles françaises en 1965.
3. Film du réalisateur français Jacques Tati sorti en 1949.
4. Film du réalisateur français Jacques Tati qui connut un échec commercial à sa sortie en 1967.

Faire de la production, c'est faire confiance à l'invisible. Ce n'est pas un business rationnel, rien à voir avec la construction automobile où l'on se dit : « Cette voiture va coûter tant parce que le pare-brise coûte tant, les essuie-glaces coûtent tant, et la semaine prochaine, cela coûtera toujours le même prix. » Non, le cinéma, c'est le règne du prototype. Tout est possible. Le budget prévu peut exploser mais il peut aussi coûter deux fois moins cher, si la météo est clémente, si tout se passe bien. Le plan de travail, c'est encore autre chose. On prévoit une journée de travail pour telle scène, mais on peut aussi la tourner en une heure si les vents sont favorables.

J'entame maintenant mon quarante-sixième film : cela ne m'a servi à rien d'en avoir fait quarante-cinq avant ! Parce que tous les événements que je prévois seront des premières fois. Si tout fonctionne parfaitement, il y aura de bonnes surprises, mais on n'est malheureusement jamais à l'abri des mauvaises…

C'est déroutant pour des hommes d'affaires, pour des producteurs. Du coup, ils se sécurisent dès le départ, sachant très bien que les imprévus vont être importants. Inutile de vous dire que s'il y a des tricheurs, c'est dans la production de films. Il y a tellement d'interprétations possibles : ça, je le déduis, ça, je ne le déduis pas… Le budget est très fumeux. Les Américains sont très forts à ce jeu-là : même lorsqu'ils réalisent un énorme succès, ils arrivent à vous expliquer qu'il n'y a pas de bénéfices. Il y a aussi des tricheurs dès le tournage, des acteurs qui fraudent...

On peut raconter ce que l'on veut, c'est un métier idéal pour les tricheurs parce que c'est une savonnette. Mais c'est aussi le métier où il y a le plus de gens sincères. Quand cela marche, c'est la sincérité qui est récompensée. Dans le cinéma, il faut vraiment travailler avec des gens très honnêtes, des gens qui falsifient un peu moins que les autres. C'est avec eux que je me suis entendu pour faire ce plus beau métier du monde. J'ai produit soixante films dans ma vie, je ne me suis pas ennuyé une seule fois. Chaque fois que j'ai fait un film, j'ai réinventé le cinéma.

Du côté des recettes, c'est la même histoire. Le cinéma est un des rares métiers où les recettes sont encore plus imprévisibles que le coût de revient. Comment savoir si un film va faire dix entrées ou vingt millions d'entrées ? (c'est la fourchette). Pour un film qui a peu coûté, deux cent mille entrées peuvent signer le succès, mais il faudra peut-être un million d'entrées pour un film qui a coûté un peu plus cher, et trois millions d'entrées pour un film à gros budget. Il n'y a pas de règles.

Dans l'histoire du cinéma, *Un homme et une femme* reste encore à ce jour le film le moins cher qui a rapporté le plus d'argent. Aujourd'hui, il aurait coûté autour de deux cent mille euros – c'est-à-dire rien – et aurait rapporté trente à quarante millions au minimum. J'ai gagné beaucoup d'argent parce que le film en a gagné énormément, mais effectivement, ce n'est pas ce que j'ai touché. Entre-temps, les tricheurs se sont régalés. Je suis tombé sur des escrocs. Quand vous sortez un film en Amérique, au Brésil, en Argentine, vous ne savez plus ce qu'il se passe. Je n'étais ni un très bon producteur ni un très bon distributeur, ce qui comptait pour moi, c'était de faire un film. C'est un métier insensé, un métier d'aventuriers.

Je me souviens de ce soir-là en Corse… À l'époque, j'étais avec Annie Girardot, nous naviguions en Méditerranée et avions fait escale dans un des ports de l'île de Beauté. L'équipage, des Italiens, n'avait pas encore vu *Un homme et une femme*, le film passait dans cette ville corse que je ne nommerai pas, j'avais donc proposé de les y accompagner. Nous voilà partis, équipés de casquettes et de chapeaux pour ne pas nous faire reconnaître. À la caisse, je demande huit places, la caissière prend mon argent… un point c'est tout. Je m'enquiers :

« Il n'y a pas de tickets ?

— Non, mais ne vous inquiétez pas, il n'y a pas besoin de tickets ici. »

La mère devait faire caissière, le père projectionniste, et la fille ouvreuse. J'étais le producteur et le distributeur du film… Ce jour-là, je n'ai jamais payé une place aussi chère de ma vie, je n'ai même pas eu le retour sur investissement !

Aujourd'hui, avec le CNC[1], il est un peu plus compliqué de tricher. Mais lorsque l'on vend un film en Bolivie ou au Chili, que fait-on ? Il faut vraiment que le film soit un énorme succès pour qu'il y ait des retours financiers, il y a tellement d'arnaqueurs à tous les niveaux.

Aujourd'hui en France, la production de films est surtout une production télé. C'est elle qui produit la plupart des films, la plupart d'entre eux sont des films de télévision déguisés en films de cinéma.

Un film de télé, c'est quoi ? C'est un film au Smic, fait en vingt jours avec un budget très restreint, avec des acteurs qui acceptent de ne pas être trop payés et des techniciens qui consentent au tarif syndical. Alors que le cinéma est une courtisane. Cette courtisane, on ne sait pas ce qu'elle va nous demander, le nombre de bijoux, de colliers, de caprices terribles. C'est une danseuse. La grande différence entre le cinéma et la télé, c'est qu'au

1. Centre national du cinéma – établissement public français dont les missions principales sont de réglementer, de soutenir et de promouvoir l'économie du cinéma en France et à l'étranger.

cinéma, les caprices sont tolérés, ils n'ont aucune limite.

J'ai connu une époque où les producteurs partaient à l'aventure. Ils ne rentabilisaient leurs films qu'avec les spectateurs de cinéma, avec des gens qui prenaient leur voiture, faisaient la queue, affrontaient le mauvais temps et payaient leur place. Maintenant, la plupart des producteurs sont des employés de la télé, de petits artisans qui travaillent avec l'argent des téléspectateurs, avec la redevance. Ils prennent une marge, ils font leurs frais généraux. Les films sont indirectement produits par les annonceurs, par les pubs qui coupent le film.

Si les séries télé sont si rentables, c'est parce que le décor est planté pour trois saisons, que les mêmes acteurs tournent dans les cinquante films, que l'on sait ce qu'ils valent, que l'on connaît leur cachet. On se meut dans le cadre d'une industrie, non dans celui du prototype. Là, effectivement, on peut commencer à faire des budgets. Ce qui compte pour ces producteurs, c'est que le film sorte. Pour pouvoir profiter de la chronologie des médias, pour réintégrer le dispositif du CNC qui protège le cinéma en général, les mauvais films comme les bons. Les spectateurs verront le film en DVD, en VOD, à la télé, à Canal+ : c'est égal.

.XLS

La production cinématographique, c'est vraiment un métier très instinctif, c'est pour cela que je l'ai abordé. Pour contrôler toute la part d'irrationnel qu'il y a autour de mes films. Si je devais passer par un producteur, je mettrais déjà un ou deux ans avant de le trouver. Ensuite, je devrais lui livrer un scénario complet : cent pages écrites, dialoguées, réfléchies.

Quand je produis le prochain film de Claude Lelouch, je travaille avec Claude Lelouch. Je pars sur un pitch, un truc qui me plaît, je lui dis : « C'est l'histoire de machin truc… » et en trois lignes, il me dit oui ou il me dit non. C'est un gros avantage. C'est ainsi que j'ai réussi à faire quarante-cinq films. Il est probable que si j'avais dû passer par des producteurs, j'aurais fait vingt films comme la plupart de mes confrères – pour ceux d'entre eux qui travaillent beaucoup et qui sont rentables – et ce serait déjà formidable.

D'autres ont également monté leur propre société de production. Truffaut l'a fait, Chabrol également. Moi, j'ai toujours été le patron de la production, j'ai toujours possédé 51 % du film au minimum. J'engage des coproducteurs qui acceptent mon pitch. Ils prennent des parts producteurs, ce qui signifie qu'ils ne sont pas vraiment des producteurs mais des employés. La plupart de mes films, je les ai entièrement produits et dirigés. La personne à qui je rends des comptes, c'est Claude Lelouch.

Si certains ne sont pas contents, ils descendent du train et en prennent un autre. Mais le vrai producteur d'un film, c'est le spectateur de cinéma. Les Films 13 sont censés m'appartenir, mais mes coproducteurs à moi, mes vrais actionnaires, ce sont les millions de gens qui vont voir mes films.

Est-ce une chance ou une malchance ?... Lorsque j'ai débuté dans ce métier – la semaine qui a suivi mon retour de l'armée –, je voulais faire *Le Propre de l'homme*. J'ai donc rencontré six ou sept producteurs à Paris... et je suis tombé sur six ou sept connards ! J'aurais très bien pu tomber sur Alexandre Mnouchkine[1], Pierre Braunberger ou Robert Dorfmann[2], de grands producteurs, des gens qui avaient un souffle. Non, je suis tombé sur des mauvais. S'il faut passer par ces gens-là pour faire des films, c'est impossible, me suis-je dit. Comment vais-je faire ? J'ai réfléchi. Si ces incompétents faisaient de la production, je pouvais bien en faire moi-même... Cela a été la chance de ma vie.

Pour la direction d'acteurs, c'est la même chose. On dit souvent que je suis un bon directeur d'ac-

1. Producteur français d'une cinquantaine de films, dont une demi-douzaine réalisés par Claude Lelouch. Il est le père d'Ariane Mnouchkine, la fondatrice du Théâtre du Soleil.

2. Producteur et distributeur français. Il a produit quelques-uns des grands classiques comme *Jeux interdits*, *Le Corniaud*, *La Grande Vadrouille*, *L'Aveu*, etc.

teurs. Mais les premiers acteurs avec lesquels j'ai travaillé étaient des militaires. Des colonels, des généraux, des gens qui n'étaient pas réellement des acteurs. Ils étaient mauvais, archi-mauvais. Comment faire pour qu'ils deviennent bons ? Lorsque je me suis aperçu qu'ils étaient bien pendant les répétitions, là j'ai découvert la direction d'acteurs. Si on m'avait donné Gabin, je n'aurais eu qu'à dire « Moteur » et « Coupez »...

Une fois de plus, la contrainte sollicite l'imagination. C'est une phrase qui a rythmé ma vie, que ce soit dans la mise en scène, dans la production, dans mes rapports avec les gens aussi.

Faire un film, c'est l'aventure. Et l'aventure, c'est l'aventure ! Avec un grand A. On sait ce que coûte un Paris-Nice, mais personne ne peut faire le budget de ce que va coûter le voyage sur la Lune ou sur Mars... Dès que l'on est dans le prototype, on nage dans l'inconnu. Et cela, ça me plaît.

Y

Y génération Y

« Avoir vingt ans aujourd'hui,
c'est un véritable cauchemar. »
« Les belles années d'une vie,
c'est la fin de vie. »

Être jeune aujourd'hui ? C'est la garantie de voir se dresser devant soi une montagne d'emmerdements ! Pourquoi ? Parce qu'on a raccourci le temps de l'innocence sans prendre le temps d'expliquer le monde dans lequel nous vivons. Je comprends la révolte de cette génération. Et pourtant…

Quand on élève ses enfants, on a envie qu'ils aient tout. Tout ce que l'on n'a pas eu. On veut leur faire gagner du temps, on veut leur éviter des erreurs. Aujourd'hui, un môme de trois ans accomplit ce qu'un gosse de six effectuait autrefois. À trois ans, je jouais encore avec mon cheval de bois

– ils parlent couramment, se servent d'un ordinateur aisément, changent de chaîne naturellement. On faisait l'amour autour de vingt ans – ils se roulent des pelles dans les toilettes de l'école dès l'âge de dix ans, les filles font l'amour vers dix ou onze ans, à seize ans, tous ont baisé, c'est réglé, ils ont tout compris. On faisait le malin dans la cour de récréation – ils friment sur Internet. Une phrase, une photo, hop, ils l'envoient, ils partagent. Ils baisent une fille, pschitt, ils partagent l'intimité du moment, instantanément.

Ils ne sont pas en âge de voir un film porno... Ils ne sont pas en âge de sortir le soir... Pendant des siècles et des siècles, ces phrases ont bien fonctionné. Aujourd'hui, la machine ne leur cache rien. Devenue la plaque tournante de la jeunesse, elle dit tout ce que nous dissimulions. À trois ans, un gamin initié peut même aller sur Youporn et y trouver tout ce qu'il veut. Au bout du compte, ils ont trop de tout et veulent tout, tout de suite. C'est vraiment une génération d'enfants gâtés qui ne savent pas à quel point ils sont gâtés.

Avec ce temps de l'innocence abrégé d'une façon colossale, ils sont atteints plus vite par les emmerdements. Nous, nous étions protégés par papa maman jusqu'à notre majorité, jusqu'à ce qu'on aille dans le lit avec quelqu'un – la vraie majorité, c'est la majorité sexuelle. Aujourd'hui, en raison de cette maturité extrêmement précoce, ils portent des revendications d'adultes quand ils ne sont encore pour nous que des adolescents. Nous ne pouvons plus les protéger, les câliner – qu'est-ce qu'il est bon pourtant de porter un enfant dans ses bras... Nous ne les comprenons plus, nous ne saisissons pas la façon qu'ils ont de communiquer, de se photographier, de s'exprimer. Leur meilleur copain, leur nouveau doudou ? Ces machines infernales : ordinateurs, smartphones et autres réseaux sociaux.

Le malaise est mondial. Ce n'est plus un fossé qui nous sépare, mais un océan. Les adultes sont dépassés, démodés, la jeunesse est en demande, des demandes démesurées. Ils se fichent de nous, ils nous écoutent sans nous écouter, excepté lorsque nous avons la chance de communiquer avec eux, que nous prenons le temps de leur expliquer la complexité de la vie. Là, il est possible de vivre une osmose extraordinaire. C'est ce qu'il m'arrive avec mes élèves. Parce que j'ai pris le temps de leur expliquer le monde dans lequel ils vivent, le mode d'emploi.

Avancer l'âge de la majorité, l'instaurer à seize ans, voilà ce à quoi il serait raisonnable de réfléchir. Là, on serait vraiment dans la réalité. Plus vite indépendants, ils comprendraient plus tôt ce que sont les emmerdes, ils les toléreraient mieux. C'est lorsqu'un de nos enfants a des rejetons qu'il comprend les choses. Mes propres enfants sont devenus intelligents en devenant parents. À ce moment-là, ils ont commencé à se dire : « Tiens, papa n'était pas si débile que ça, maman non plus… »

Les jeunes ont toujours eu une majorité d'avance. Certes, elle s'amplifie, mais ils ont toujours été en réaction. Le gouvernement ne peut avoir que de mauvaises idées les concernant, seules sont formidables les règles qu'ils déterminent.

Le jour où les femmes se sont émancipées, le jour où elles ont décidé de sortir de l'ombre, d'abandonner les privilèges colossaux qui étaient les leurs pour devenir les patronnes, elles ont dû endosser la gestion. Là, elles ont touché du doigt l'étendue du problème.

C'est exactement ce qui se passe pour les jeunes. Demain, si les étudiants édictaient des lois, elles seraient plus terribles que celles qu'on leur propose ! Mais ce seraient les leurs, cela viendrait d'eux. Ce qu'ils demandent, c'est de prendre les choses en main. Le problème, c'est que pour l'instant ils ne savent pas compter. Ils n'ont pas compris que dans ce monde, l'argent détient encore le pouvoir. Ils sont par conséquent de plus en plus malheureux : impossible pour eux d'acquérir un appartement, ils inventent la colocation et se partagent à deux ou trois la même piaule. Impossible d'acheter une voiture, ils se retrouvent condamnés au métro, à l'autobus, à Blablacar, à Uber… Sans compter qu'ils sont trop nombreux, qu'il n'y a plus de profs, qu'il n'y a plus de place dans les salles de cours… et qu'il n'y a surtout personne pour leur faciliter la vie.

Avoir vingt ans aujourd'hui, ce n'est pas de la tarte. C'est même un véritable cauchemar. Et pour couronner le tout, nous les insultons involontairement.

Pour ceux de la deuxième mi-temps, c'est fric et soleil. Le monde contemporain a considérablement amélioré la fin de vie, les vieux sont de plus en plus heureux. Ils vivent plus longtemps, les maisons de retraite sont plus accueillantes, ils voyagent, ils ont le pouvoir d'achat…

Aujourd'hui, les belles années d'une vie, c'est la fin de vie. C'est vraiment une très mauvaise période pour les jeunes, je comprends leur révolte.

Un deuxième Mai 68 ? Je pense que l'on y court direct. Je voulais appeler ma société de production Les Films de l'apocalypse, ce n'est pas innocent. L'apocalypse, on s'y achemine. À quelle vitesse ? Très vite peut-être. Le phénomène s'accélère, se précipite, et quand il y a précipitation, il y a inondation.

Nous sommes en train de fabriquer une fin du monde, comme des enfants gâtés, nous allons casser le plus beau jouet du monde qu'est la Terre. Un jour, parmi tous ces jeunes, un fou appuiera sur le mauvais bouton et fera exploser la planète.

Nous avons beau être lucides, avoir pris conscience de l'écologie, personne encore n'a proposé une vision satisfaisante permettant de stopper cette catastrophe.

Imaginons ce que peuvent penser des extraterrestres… Pour eux, la Terre n'est qu'un seul pays, avec sa monnaie, sa langue, son Dieu. C'est logique. Vue de l'univers, la Terre n'est qu'un grain de sable, on ne peut soupçonner qu'elle soit si variée : plus de deux cents pays, langues, monnaies, des tas de dieux… C'est cette diversité, ce sont toutes ces oppositions qui font la beauté du monde dans lequel nous cohabitons.

Moi, je me régale de ce spectacle. Le monde n'a jamais été aussi fou, c'est une mine d'or pour mes scénarios ! Mais cette diversité est aussi au cœur de tous nos problèmes, de toutes nos contradictions, de toutes nos haines. Si le processus de l'apocalypse est en route, c'est de l'ordre de sa responsabilité… et c'est un optimiste qui pense cela.

L'apocalypse, je la crois utile et nécessaire parce qu'ensuite, nous allons tout réinventer. Nous avons besoin de vastes punitions pour comprendre ce qui pourrait l'être naturellement. C'est à la suite de grandes catastrophes que se dégagent de grandes inventions. Elles seules – une guerre mondiale par exemple – ramènent à la raison : cesser de nous comporter en enfants gâtés. C'est dans le drame que la solidarité renaît, pendant la guerre que les Français se sont unis pour sauver la France, au moment des attentats que les gens se sont pris dans les bras et ont défilé ensemble, lors d'un jour de grève que vous prenez quelqu'un dans votre voiture… On le voit bien, le drame réveille ce qu'il y a de merveilleux chez l'être humain. Mais dès que tout va bien, l'être humain redevient épouvantable, égoïste : un vrai monstre.

Alors, s'il faut passer par des catastrophes, envoyez ! Il y a utilité de catastrophes comme jamais.

Moi qui ne suis qu'un observateur, qui ne prends pas position, je sais que ce qui peut sauver le monde aujourd'hui, c'est une catastrophe. C'est terrible à dire, il faut avoir le courage de le dire aux jeunes : c'est une très mauvaise période pour eux, et c'est à eux de régler le problème. Ils vont le faire, et là, il y aura des dégâts.

Z

Zoom

« C'est un peu le regard de Dieu. »

S'il y a un objectif qui a changé l'histoire du cinéma, c'est bien lui.

Il apparaît à la fin des années 1950, tous les metteurs en scène se jettent illico dessus, le plus friand étant Sergio Leone. Combiné à la 400 ASA, il fait la Nouvelle Vague. D'un côté, les cinéastes disposent d'une pellicule beaucoup plus rapide, de l'autre, d'un objectif qui permet de passer en une seconde du plan d'ensemble au gros plan.

Pendant des années, le zoom a permis de faire de faux travelling. On reculait, on avançait, ce mouvement a fasciné tous les cinéastes. Petit à petit, on s'est aperçu que la force du zoom était de pouvoir utiliser des focales différentes, que l'on gagnait du temps à passer d'un plan d'ensemble au gros plan directement, sans utiliser le mouvement. Évidemment, on peut l'utiliser à la fois en focale fixe et en découverte avant et arrière, c'est un objectif qui fait la jumelle. Toujours est-il qu'aujourd'hui, pas une caméra au monde ne s'en affranchit. Toutes les caméras de télévision, de cinéma, les petites caméras pour amateurs, les appareils photo, même les téléphones portables sont équipés d'un zoom. C'est devenu l'objectif le plus populaire car il possède tous les objectifs dans le même objectif.

Il offre également une profondeur de champ très particulière, différente de celle de l'œil humain. Son amplitude peut varier de vingt-cinq millimètres, la courte focale, pour finir à deux cent cinquante millimètres, la longue. Quand je regarde une femme, je la vois en plan d'ensemble, quoi qu'il arrive. Je peux focaliser sur son visage, mais je n'avance ni ne recule. Avec le zoom, je pars en gros plan sur sa bague, puis d'un seul coup je découvre sa main, son petit blouson, puis la femme avec ses cheveux, etc. En focalisant sur un détail précis, la fameuse dictature du gros plan, j'arrive à la démocratie du plan large. J'effectue une sorte de voyage, plus efficace en arrière parce qu'il y a plus de suspens. Que vais-je découvrir ?... Avec le zoom avant, j'ai tout vu dès le départ. Reste à chercher le gros plan, le détail que les spectateurs n'aperçoivent pas.

À un certain moment, les chefs opérateurs l'ont beaucoup décrié : aucune de ses focales n'avait le piqué des focales fixes. Mais en même temps, on trouvait toujours la bonne focale pour filmer la scène en question…

Pas à pas, suivant les progrès de la science, on a produit des zooms d'une efficacité ahurissante. On peut même dire que c'est l'objectif qui a démodé tous les autres objectifs parce qu'il contient en lui toutes les possibilités du cinéma. Encore faut-il savoir s'en servir… Un mouvement de zoom à l'avant ou à l'arrière est très déterminant, il n'y a rien de plus difficile à faire. Si l'on se sert mal d'un zoom, on indique immédiatement que l'on est un mauvais cinéaste.

Le zoom a joué un rôle important dans ma vie, je continuerai à m'en servir encore pendant des années. Je l'ai découvert avec *Une fille et des fusils*, et je me suis amusé comme un fou : il y a des coups de zoom à tous les plans !

Aujourd'hui, je l'utilise plus facilement en focale fixe qu'en mouvement, je cherche l'angle idéal, la focale idéale que mon œil ne trouverait pas naturellement. Il remplace le viseur de champ, ce fameux viseur dont se servent tous les metteurs en scène pour avoir l'air d'un metteur en scène…

Claude Lelouch

Le zoom est sûrement une des grandes inventions du cinéma. Une invention capitale. Avec lui, c'est comme si l'on portait constamment sur soi une paire de jumelles. On voit le monde différemment. C'est un peu le regard de Dieu. Il regarde l'univers, la Terre, les sept milliards de gens qui grouillent dans le plan d'ensemble, et puis, d'un seul coup, il fait un coup de zoom sur quelqu'un, sur un personnage… À moins qu'il parte de ce personnage pour remonter dans l'univers…

C'est l'objectif le plus près de l'œil de Dieu. C'est en cela qu'il m'a toujours fasciné.

Filmographie

1957
USA en vrac (noir et blanc, 15 min)
Une ville pas comme les autres (couleur, 12 min)
Quand le rideau se lève (noir et blanc, 50 min)
Documentaires en 16 mm sur les États-Unis et sur l'Union soviétique.

1957-1960
Vol des hélicoptères en haute montagne
Carte mécanographique de l'armée de l'air
La Guerre du silence
SOS hélicoptère
Courts-métrages documentaires réalisés pour le Service cinématographique des armées.

1960
Le Propre de l'homme
Premier long-métrage.

Avec Janine Magnan et Claude Lelouch.
Inédit. Copies détruites par Claude Lelouch.

1961-1965
Cent trente Scopitone et une dizaine de films publicitaires.

1961
La Vie de château
Tournage interrompu au bout d'une semaine, faute de crédits.
Détruit.

1962
L'Amour avec des si
Avec Janine Magnan, Guy Mairesse, Richard Saint-Bris, France Noëlle, Jacques Martin, Jean Daurand, Jacqueline Morane et Rita Maiden.

1963
La Femme spectacle
Film remonté par Pierre Braunberger.

1964
Une fille et des fusils
Avec Janine Magnan, Jean-Pierre Kalfon, Pierre Barouh, Amidou, Jacques Portet, Betty Beckers, Yane Barry et Gérard Sire.
Musique Pierre Vassiliu.
Prix de la mise en scène au Festival de Mar del Plata (Argentine). Grand prix du jeune cinéma de Hyères.

1965
Les Grands Moments
La première grosse production des Films 13.
N'a jamais trouvé de distributeur.

1965
Pour un maillot jaune
Court-métrage sur le Tour de France (35 min).

1966
Un homme et une femme
Avec Anouk Aimée, Jean-Louis Trintignant, Pierre Barouh, Valérie Lagrange, Antoine Sire, Souad Amidou, Simone Paris, Henri Chemin et Jean Collomb.
Musique Francis Lai.
Palme d'or au Festival de Cannes 1966. Oscar du meilleur film étranger 1967. Oscar du meilleur scénario 1967. Golden Globe du meilleur film étranger 1967. Golden Globe de la meilleure actrice pour Anouk Aimée 1967. Et trente-neuf récompenses internationales.

1967
Vivre pour vivre
Avec Annie Girardot, Yves Montand, Candice Bergen, Irène Tunc, Anouk Ferjac, Jean Collomb, Jacques Portet et Amidou.
Musique Francis Lai.
Grand Prix du cinéma français. Prix Femina en Belgique. Golden Globe du meilleur film étranger 1968.

Nomination pour le Golden Globe de la meilleure musique originale 1968 pour Francis Lai.

1967
Loin du Viêtnam
Coréalisation : Joris Ivens, Alain Resnais, William Klein, Agnès Varda, Jean-Luc Godard et Claude Lelouch.

1968
Treize jours en France
Documentaire sur les Jeux olympiques de Grenoble.
Coréalisation : François Reichenbach et Claude Lelouch.
Musique Francis Lai.
Sélection officielle au Festival de Cannes (jamais projeté cette année-là : Festival interrompu).

1969
La Vie, l'amour, la mort
Avec Amidou, Caroline Cellier, Marcel Bozzuffi, Janine Magnan, Pierre Zimmer, Rita Maiden, Catherine Samie et Albert Naud.
Musique Francis Lai.
Prix d'interprétation pour Amidou au Festival de Rio.

1969
Un homme qui me plaît
Avec Jean-Paul Belmondo, Annie Girardot, Marcel Bozzuffi, Peter Bergman, Maria Pia Conte, Sweet Emma, Foster Hood et Farrah Fawcett.
Musique Francis Lai.

1970
Le Voyou
Avec Jean-Louis Trintignant, Danièle Delorme, Charles Denner, Yves Robert, Charles Gérard, Judith Magre, Christine Cochet, Aldo Maccione, Pierre Zimmer, Amidou et Sacha Distel.
Musique Francis Lai.
Prix Raoul-Lévy à Paris. Donatello d'or à Rome.

1971
Smic, Smac, Smoc
Avec Catherine Allégret, Charles Gérard, Jean Collomb, Amidou, Francis Lai, Pierre Uytterhoeven, Arlette Gordon et Élie Chouraqui.
Musique Francis Lai.
Sélection officielle au Festival de Venise. Sélection officielle au Festival de San Francisco.

1972
L'Aventure, c'est l'aventure
Avec Lino Ventura, Jacques Brel, Charles Denner, Charles Gérard, Aldo Maccione, Nicole Courcel, Johnny Hallyday, Juan Luis Buñuel, Yves Robert, Xavier Gélin, Gérard Sire, Georges Cravenne, Élie Chouraqui, Catherine Allégret et Michel Drucker.
Musique Francis Lai.
Sélection officielle (hors compétition), ouverture du Festival de Cannes.

1973
Visions of eight (Jeux olympiques de Munich)
Collectif de huit metteurs en scène, dont Milos Forman, Akira Kurosawa, John Schlesinger, Arthur Penn, Ousmane Sembène et Claude Lelouch. Épisode : *The Losers* (Les Perdants).
Sélection officielle au Festival de Cannes. Golden Globe du meilleur documentaire 1974.

1973
La Bonne Année
Avec Lino Ventura, Françoise Fabian, Charles Gérard, Lilo, André Falcon, Michou, Bettina Rheims, Claude Mann, Frédéric de Pasquale, Silvano Tranquilli, Arlette Gordon, Gérard Sire, Élie Chouraqui, Alain Terzian et Mireille Mathieu.
Musique Francis Lai.
Deux prix d'interprétation pour Lino Ventura et Françoise Fabian au Festival de San Sebastián. Prix Triomphe du cinéma 1973.

1974
Toute une vie
Avec Marthe Keller, André Dussolier, Charles Denner, Carla Gravina, Charles Gérard, Gilbert Bécaud, Judith Magre, André Falcon et Jacques Villeret.
Musique Francis Lai.
Sélection officielle (hors compétition) au Festival de Cannes. Nomination pour l'Oscar du meilleur scénario 1976.

1975
Mariage
Avec Bulle Ogier, Rufus, Marie Déa, Caroline Cellier, Bernard Le Coq, Charles Gérard, Harry Walter, Germaine Lafaille et Léon Zitrone.
Musique Francis Lai.

1975
Le Chat et la Souris
Avec Michèle Morgan, Serge Reggiani, Philippe Léotard, Jean-Pierre Aumont, Valérie Lagrange, Philippe Labro, Jacques François, Arlette Emmery, Judith Magre et Michel Peyrelon.
Musique Francis Lai.
Grand prix de l'Académie française.

1976
Le Bon et les Méchants
Avec Marlène Jobert, Jacques Dutronc, Brigitte Fossey, Bruno Cremer, Jacques Villeret, Jean-Pierre Kalfon, Philippe Léotard, Serge Reggiani, Marie Déa, Valérie Lagrange, Alain Basnier, Étienne Chicot, Stéphane Bouy et Arlette Emmery.
Musique Francis Lai.
Nomination pour le César de la meilleure actrice dans un second rôle 1977 pour Brigitte Fossey.

1976
Si c'était à refaire
Avec Catherine Deneuve, Anouk Aimée, Charles Denner, Francis Huster, Niels Arestrup, Jean-Jacques Briot,

Colette Baudot, Jean-Pierre Kalfon, Valérie Lagrange, Jacques Villeret, Alexandre Mnouchkine, Élie Chouraqui et Françoise Hardy.
Musique Francis Lai.

1976
C'était un rendez-vous
Court-métrage.

1977
Un autre homme, une autre chance
Avec James Caan, Geneviève Bujold, Francis Huster, Susan Tyrrell, Jennifer Warren, Richard Farnsworth, Jean-François Rémi, Christopher Lloyd, Pierre Barouh, Jacques Higelin et Jacques Villeret.
Musique Francis Lai.

1978
Robert et Robert
Avec Charles Denner, Jacques Villeret, Jean-Claude Brialy, Francis Perrin, Germaine Montero, Macha Méril, Régine, Nella Bielski, Arlette Emmery, Mohamed Zinet, Arlette Gordon et Michèle Morgan.
Musique Francis Lai et Jean-Claude Nachon.
César du meilleur acteur 1979 pour Jacques Villeret.

1979
À nous deux
Avec Catherine Deneuve, Jacques Dutronc, Jacques Villeret, Paul Préboist, Bernard Le Coq, Jacques Godin, Émile Genest, Gérard Caillaud, Jean-François Rémi,

Xavier Saint-Macary, Daniel Auteuil, Gérard Darmon et Gilberte Géniat.
Musique Francis Lai.
Sélection officielle (hors compétition), clôture du Festival de Cannes.

1981
Les Uns et les Autres
Avec Robert Hossein, Nicole Garcia, Géraldine Chaplin, James Caan, Jacques Villeret, Fanny Ardant, Évelyne Bouix, Richard Bohringer, Jean-Claude Bouttier, Jean-Claude Brialy, Jorge Donn, Ginette Garcin, Francis Huster, Jean-Pierre Kalfon, Macha Méril, Daniel Olbrychski, Raymond Pellegrin, Rita Poelvoorde, Paul Préboist, Eva Darlan, Geneviève Mnich, Alexandra Stewart et Sharon Stone.
Musique Francis Lai, Michel Legrand et Maurice Ravel.
Chorégraphie Maurice Béjart.
Sélection officielle au Festival de Cannes. Sélection officielle (hors compétition) au Festival des films du monde de Montréal. Trois disques d'or. Plusieurs récompenses internationales.

1983
Édith et Marcel
Avec Évelyne Bouix, Jacques Villeret, Francis Huster, Jean-Claude Brialy, Marcel Cerdan Jr, Charles Aznavour, Charlotte de Turckheim, Jean Bouise, Charles Gérard, Maurice Garrel, Philippe Khorsand et Jean-Pierre Bacri.
Musique Francis Lai.

1984

Viva la vie

Avec Charlotte Rampling, Michel Piccoli, Jean-Louis Trintignant, Évelyne Bouix, Charles Aznavour, Laurent Malet, Tanya Lopert, Raymond Pellegrin, Charles Gérard, Myriam Boyer, Jacques Nolot, Martin Lamotte, Philippe Laudenbach et Anouk Aimée.

Musique Didier Barbelivien.

Sélection officielle (hors compétition) au Festival de Venise.

1985

Partir, revenir

Avec Annie Girardot, Jean-Louis Trintignant, Richard Anconina, Évelyne Bouix, Michel Piccoli, Françoise Fabian, Erik Berchot, Marie-Sophie L., Jean Bouise, Charles Gérard, Isabelle Sadoyan, Ginette Garcin, Bernard-Henri Lévy, Bernard Pivot et Dominique Pinon.

Musique Michel Legrand et Sergueï Vassilievitch Rachmaninov.

Sélection officielle (hors compétition) au Festival des films du monde de Montréal.

1986

Un homme et une femme, vingt ans déjà

Avec Anouk Aimée, Jean-Louis Trintignant, Richard Berry, Évelyne Bouix, Charles Gérard, Philippe Leroy-Beaulieu, Robert Hossein, Patrick Poivre d'Arvor,

Marie-Sophie L., Thierry Sabine, Jacques Weber et Nicole Garcia.
Musique Francis Lai.
Sélection officielle (hors compétition), ouverture du Festival de Cannes.

1987
Attention, bandits
Avec Jean Yanne, Patrick Bruel, Marie-Sophie L., Charles Gérard, Corinne Marchand, Jean-Michel Dupuis, Hélène Surgère et Christine Cochet.
Musique Francis Lai.
Sélection officielle au Festival de Rouyn-Noranda (Canada).

1988
Itinéraire d'un enfant gâté
Avec Jean-Paul Belmondo, Richard Anconina, Marie-Sophie L., Lio, Daniel Gélin, Béatrice Agenin, Jean-Philippe Chatrier, Michel Beaune, Pierre Vernier, Philippe Lorin, Annie Philippe et Céline Caussimon.
Musique Francis Lai.
César du meilleur acteur 1989 pour Jean-Paul Belmondo. Prix d'interprétation au Festival de Chicago pour Richard Anconina.

1990
Il y a des jours... et des lunes
Avec Gérard Lanvin, Patrick Chesnais, Vincent Lindon, Annie Girardot, Marie-Sophie L., Francis Huster, Gérard Darmon, Philippe Léotard, Caroline

Micla, Paul Préboist, Christine Boisson, Serge Reggiani, Véronique Silver, Patrick Bruel, Erik Berchot, Salomé Lelouch, Charles Gérard, Claire Nadeau, Jacques Gamblin, Amidou, Arlette Gordon et Pierre Barouh.
Musique Francis Lai, Philippe Servain et Erik Berchot.
Sélection officielle au Festival de Venise.

1992
La Belle Histoire
Avec Gérard Lanvin, Béatrice Dalle, Vincent Lindon, Marie-Sophie L., Patrick Chesnais, Gérard Darmon, Anémone, Isabelle Nanty, Paul Préboist, Amidou, Marie Sara, Charles Gérard, Pierre Vernier, Jean-Michel Dupuis, Jean Benguigui, Jean-Claude Dreyfus, François Perrot, Élie Chouraqui et Jacques Gamblin.
Musique Francis Lai et Philippe Servain.
Sortie sur écran géant au Palais des Congrès.

1993
Tout ça... pour ça !
Avec Vincent Lindon, Marie-Sophie L., Gérard Darmon, Jacques Gamblin, Évelyne Bouix, Francis Huster, Alessandra Martines, Fabrice Luchini, Charles Gérard, Salomé Lelouch, Antoine Duléry et Cristiana Reali.
Musique Francis Lai.
César du meilleur second rôle masculin 1994 pour Fabrice Luchini. Prix de la mise en scène au Festival des films du monde de Montréal.

1994
Les Misérables
Avec Jean-Paul Belmondo, Michel Boujenah, Alessandra Martines, Annie Girardot, Clémentine Célarié, Philippe Léotard, Rufus, Philippe Khorsand, Jean Marais, Micheline Presle, Michaël Cohen, Ticky Holgado, Antoine Duléry, Salomé Lelouch, William Leymergie, Marie Bunel, Jacques Gamblin, Nicole Croisille, Sylvie Joly, Darry Cowl, Daniel Toscan du Plantier et Robert Hossein.
Musique Francis Lai, Philippe Servain, Erik Berchot, Michel Legrand et Didier Barbelivien.
Golden Globe du meilleur film étranger 1996. César du meilleur second rôle féminin 1996 pour Annie Girardot. Prix Roger E. Joseph Prize 1996 (New York). Efebo d'oro (meilleure adaptation littéraire à l'écran) 1996 (Italie). Efebo d'argent (prix de la meilleure interprétation féminine) 1996 pour Alessandra Martines. Meilleur film étranger du London Film Critics Circle 1996.

1996
Hommes, Femmes : mode d'emploi
Avec Fabrice Luchini, Bernard Tapie, Alessandra Martines, Pierre Arditi, Ticky Holgado, Ophélie Winter, Anouk Aimée, Agnès Soral, Antoine Duléry, Caroline Cellier, Philippe Khorsand, Daniel Gélin, Patrick Husson, Salomé Lelouch, Christophe Hémon, William Leymergie, Daniel Olbrychski et Gisèle Casadesus.
Musique Francis Lai.

Petit Lion d'or (prix du jeune public) au Festival de Venise.

1998
Hasards ou Coïncidences
Avec Alessandra Martines, Pierre Arditi, Marc Hollogne, Laurent Hilaire, Véronique Moreau, Patrick Labbé, Geoffrey Holder et Charles Gérard.
Musique Francis Lai et Claude Bolling.
Prix d'interprétation au Festival du film de Chicago pour Alessandra Martines. Nomination pour le César de la meilleure musique 1999. Sélection officielle (hors compétition) au Festival de Venise. Sélection officielle (hors compétition), clôture du Festival des films du monde de Montréal.

2000
Une pour toutes
Avec Jean-Pierre Marielle, Anne Parillaud, Marianne Denicourt, Alessandra Martines, Alice Evans, Olivia Bonamy, Samy Naceri, François Berléand, Rüdiger Volger, François Perrot, Michel Jonasz, Emmanuelle Bercot, Guesch Patti, Firmine Richard, Constantin Alexandrov et Lise Lamétrie.
Musique Francis Lai.

2002
And now... ladies & gentlemen
Avec Jeremy Irons, Patricia Kaas, Thierry Lhermitte, Alessandra Martines, Ticky Holgado, Yvan Attal, Amidou, Jean-Marie Bigard, Sylvie Loeillet, Patrick

Braoudé, Claudia Cardinale, Constantin Alexandrov, Stéphane Ferrara, Samuel Labarthe, Paul Freeman, Souad Amidou et Laura Mayne-Kerbrat.
Musique Michel Legrand.
Sélection officielle (hors compétition), clôture du Festival de Cannes.

2002
11'09"01 September 11
Un film de onze réalisateurs : Samira Makhmalbaf, Claude Lelouch, Youssef Chahine, Danis Tanovic, Idrissa Ouedraogo, Ken Loach, Alejandro González Iñárritu, Amos Gitaï, Mira Nair, Sean Penn, Shōhei Imamura.

2004
Les Parisiens
Avec Mathilde Seigner, Maïwenn, Arielle Dombasle, Agnès Soral, Michel Leeb, Massimo Ranieri, Francis Perrin, Ticky Holgado, Pierre Santini, Grégori Derangère, Michèle Bernier, Antoine Duléry, Robert Namias, Richard Gotainer, Cyrielle Clair, Patrick Fierry, Xavier Deluc, Cristiana Reali, Alessandra Martines et Constantin Alexandrov.
Musique Francis Lai.

2005
Le Courage d'aimer
Avec Mathilde Seigner, Maïwenn, Massimo Ranieri, Michel Leeb, Arielle Dombasle, Ticky Holgado, Pierre Arditi, Yannick Soulier, Constantin Alexan-

drov, Francis Perrin, Line Renaud, Pierre Santini et Sara Forestier.
Musique Francis Lai.

2007
Roman de gare
Avec Dominique Pinon, Fanny Ardant, Audrey Dana, Zinedine Soualem, Myriam Boyer, Michèle Bernier, Marc Rioufol, Shaya Lelouch, Cyrille Eldin et Serge Moati.
Musique Gilbert Bécaud.
Sélection officielle (hors compétition) au Festival de Cannes. Sélection officielle (hors compétition), ouverture du Festival du film policier de Cognac. Sélection officielle (hors compétition), ouverture du Festival international du film de Moscou. Nomination pour le César du meilleur espoir féminin 2008 pour Audrey Dana. Prix Romy-Schneider 2008 pour Audrey Dana.

2007
Chacun son cinéma
Court-métrage. Fragment « Cinéma de Boulevard ». Film collectif de trente-quatre cinéastes pour les soixante ans du Festival de Cannes.
Avec Audrey Dana et Zinedine Soualem.
Sélection officielle (hors compétition) au Festival de Cannes.

2010
Ces amours-là
Avec Audrey Dana, Laurent Couson, Raphaël, Samuel

Labarthe, Jacky Ido, Gilles Lemaire, Dominique Pinon, Judith Magre, Liane Foly, Zinedine Soualem, Gisèle Casadesus, Anouk Aimée, Salomé Lelouch, Christine Citti, Massimo Ranieri et Lise Lamétrie.
Musique Francis Lai et Laurent Couson.
Sélection officielle (hors compétition), ouverture du Festival international du film de Moscou. Sélection officielle (hors compétition) au Festival du film francophone d'Angoulême.

2011
D'un film à l'autre
Documentaire autobiographique retraçant la filmographie de Claude Lelouch.
Sélection officielle (hors compétition) : Festival international du film de Moscou, Festival des films du monde de Montréal, Festival ColCoa de Los Angeles, Festival de Chicago.

2014
Salaud, on t'aime.
Avec Johnny Hallyday, Sandrine Bonnaire, Eddy Mitchell, Irène Jacob, Pauline Lefèvre, Sarah Kazemy, Jenna Thiam, Valérie Kaprisky, Isabelle de Hertogh, Rufus, Agnès Soral, Silvia Kahn, Antoine Duléry, Jean-François Derec, Jacky Ido, Gilles Lemaire, Laurent Couson, Jérôme Cachon, Astrid Whettnall, Marie Micla et Victor Meutelet.
Musique Francis Lai et Christian Gaubert.
Sélection officielle (hors compétition), ouverture du Festival du film policier de Beaune. Sélection officielle

(hors compétition), ouverture du Festival ColCoa de Los Angeles. Sélection officielle (hors compétition) au Festival de Moscou.

2015
Un+Une
Avec Jean Dujardin, Elsa Zylberstein, Christophe Lambert, Alice Pol, Rahul Vohra, Shriya Pilgaonkar, Abhishek Krishnan et Venantino Venantini.
Musique Francis Lai.
Mention spéciale du public au Festival ColCoa de Los Angeles. Sélection officielle (hors compétition) : Festival international du film de Toronto, Festival du film francophone d'Angoulême, Festival international du film de Busan (Corée du Sud). Sélection officielle (hors compétition), ouverture du Festival du film de Sarlat. Sélection officielle (hors compétition), clôture du Festival du film de Mumbai (Inde).

Productions & distributions

Productions

1967
Les Gauloises bleues de Michel Cournot

1968
L'Indiscret de François Reichenbach
Benito Cereno de Serge Roullet

1969
Sept jours ailleurs de Marin Karmitz
Clair de terre de Guy Gilles

1970
L'Américain de Marcel Bozzuffi
Ça n'arrive qu'aux autres de Nadine Trintignant
Camarades de Marin Karmitz

1971
Bonaparte et la Révolution de Abel Gance
Far West de Jacques Brel

1972
Comme dans la vie de Pierre Willemin

1979
Molière de Ariane Mnouchkine

1984
Ni avec toi, ni sans toi de Alain Maline

1994
Le Voleur et la Menteuse de Paul Boujenah

2006
Nos amis les Terriens de Bernard Werber

2007
Entre adultes de Stéphane Brizé

Distributions

1968
Les Pâtres du désordre de Nikos Papatakis

1969
J'ai même rencontré des Tziganes heureux de Aleksandar Petrović

Productions & distributions

1970
Macunaima de Joachim Pedro de Andrade

1971
Bonaparte et la Révolution de Abel Gance

1975
Les Ordres de Michel Brault

2007
Nos amis les Terriens de Bernard Werber

2012
Hasta la vista de Geoffrey Enthoven

Table des matières

Table des matières

Composition et mise en page
Nord Compo à Villeneuve-d'Ascq

Dépôt légal : septembre 2016